MINECRAFT

5. Auflage 2024
verlegt durch Schneiderbuch
in der Verlagsgruppe HarperCollins Deutschland GmbH, Hamburg

Copyright der deutschsprachigen Ausgabe
© Schneiderbuch in der Verlagsgruppe HarperCollins Deutschland GmbH, Hamburg
Alle Rechte für die deutschsprachige Ausgabe vorbehalten
Die englische Originalausgabe erschien 2021 unter dem Titel
„MINECRAFT – Combat Handbook" bei Fareshore.
An imprint of HarperCollins*Publishers*
1 London Bridge Street, London SE1 9GF

Written by Craig Jelley
Designed by Joe Bolder and Andrea Philpots
Illustrations by Ryan Marsh
Production by Laura Grundy
Special thanks to Sherin Kwan, Alex Wiltshire, Kelsey Howard and Milo Bengtsson

This book is an original creation by Farshore

Übersetzt aus dem Englischen: Josef Shanel und Matthias Wissnet
Umschlag und Satz: Achim Münster, Overath
In Anlehnung an das englische Original
ISBN: 978-3-505-14456-1
Printed in Italy

www.schneiderbuch.de
Facebook: facebook.de/schneiderbuch
Instagram: @schneiderbuchverlag

HINWEIS:

Alle Begriffe im Text beziehen sich auf die aktuelle Bedrock Edition.

ONLINE-SICHERHEIT FÜR JÜNGERE FANS

Online spielen macht Spaß! Um die Minecraft-Welt auch im Internet unbeschwert genießen zu können, solltest du ein paar Regeln beachten:

– Gib niemals deinen richtigen Namen an. Verwende ihn nicht als Benutzernamen.
– Mache niemals Angaben zu deiner Person.
– Erzähle niemandem, welche Schule du besuchst oder wie alt du bist.
– Vertraue niemandem dein Passwort an, außer deinen Eltern oder Erziehungsberechtigten.
– Für viele Webseiten musst du mindestens 13 Jahre alt sein, wenn du dort ein Benutzerkonto einrichten willst. Bitte deine Eltern oder Erziehungsberechtigten um Erlaubnis, bevor du dich registrierst.
– Wenn dich irgendetwas verunsichert, sprich mit deinen Eltern oder Erziehungsberechtigten darüber.

Jede der in diesem Buch aufgeführten Webseiten-Adressen war zur Drucklegung aktuell. Dennoch kann HarperCollins keine Verantwortung für den angebotenen Inhalt Dritter übernehmen. Bitte nehmen Sie zur Kenntnis, dass sich im Internet angebotene Inhalte ändern und nicht für Kinder geeignete Inhalte auf Webseiten auftauchen können. Wir empfehlen, Kinder zu beaufsichtigen, wenn diese das Internet benutzen.

MINECRAFT

DAS KÄMPFER-HANDBUCH

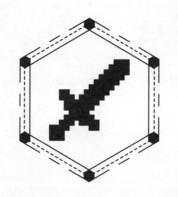

INHALT

HALLO

Willkommen zum Minecraft Kämpfer-Handbuch! Siegreich aus einem Kampf hervorzugehen, kann ziemlich knifflig sein. Manchmal hat man das Gefühl, alles hätte es auf einen abgesehen, sei es nur der eigene knurrende Magen oder – o weh, ist das da ein Witherskelett?! Nein, Entwarnung, das war nur ein Schatten. Eine Täuschung des Lichts ... ODER DOCH NICHT?

Für Minecraft-Abenteurer liegt der nächste Kampf stets in der Luft. Lästige Monster wüten unter der Erde, während du friedlich Bergbau betreibst. Oder sie erscheinen des Nachts und belästigen freundliche Dorfbewohner – und der Nether wimmelt nur so davon. Dann gibt es da noch den Kader der Elite-Minecrafter, die dafür leben, in Gladiatorenkämpfen gegeneinander anzutreten, und deren Herzen beim Aufeinanderprallen von Netherit höherschlagen!

Ganz egal, welche Spielart du bevorzugst, es ist unentbehrlich, zu wissen, wie man kämpft. Es war äußerst schlau von dir, dir dieses Buch zu holen, denn es ist randvoll mit Taktiken, Ratschlägen, Tipps und Tricks!

OKAY. HALTE DEIN SCHWERT GUT FEST, JETZT GEHT'S LOS!

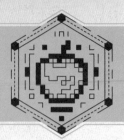

BEVOR DU LOSLEGST

SPIELMODUS AUSWÄHLEN

Auf den folgenden Seiten findest du Tipps, Tricks und Taktiken, wie du Monster und gegnerische Spieler das Fürchten lehrst. Du kannst nur im Überlebens- oder Abenteuermodus gegen Monster oder andere Spieler kämpfen, und nur, wenn der Schwierigkeitsgrad nicht auf „Friedlich" eingestellt ist. Solltest du an einen Gegenstand nicht herankommen, kannst du vorübergehend in den Kreativmodus schalten, um ihn dir zu holen.

MONSTERSYMBOLE

In diesem Buch stellen wir dir Dutzende von Monstern vor, die alle unterschiedliche Werte haben und Gegenstände hinterlassen. Halte beim Lesen nach diesen Symbolen Ausschau.

Das Herz verrät dir, wie viele Gesundheitspunkte ein Monster hat. Je höher der Wert, desto mehr hält das Monster aus.

Das Schwert zeigt an, wie viel Schaden ein Monster im Nahkampf verursacht. Bei Schwierigkeitsgrad „Schwer" kann der Wert höher sein.

Der Bogen lässt erkennen, wie viel Schaden ein Monster (auf normalem Schwierigkeitsgrad) aus der Entfernung anrichtet.

REZEPTE

Dort, wo es von Interesse ist, zeigen wir dir, was du benötigst, um bestimmte Gegenstände herzustellen. Wenn nicht anders angegeben, brauchst du dafür eine Werkbank.

Die Zutaten sind die Gegenstände in dem 3 × 3-Handwerksfeld, und im Ausgabefeld siehst du das Endprodukt.

TOP-TIPP

Einige Rezepte, z. B. diejenigen für die Herstellung von Waffen und Werkzeugen, zeigen jeweils nur eine von mehreren Varianten. So kannst du etwa mit dem obenstehenden Rezept durch den Einsatz anderer Materialien unterschiedliche Schwerter herstellen.

Bevor du dich Hals über Kopf und nur mit einer Holzhacke bewaffnet in einen Kampf mit dem Enderdrachen stürzt, gibt es einiges zu erklären, damit du das Beste aus diesem Buch herausholen kannst. Diese Doppelseite enthält alles, was du wissen musst, um die folgenden Kapitel zu verstehen.

GEGENSTANDSLEGENDE

Pfeil der Langsamkeit	Generierte Rüstung	Rohes Hühnchen
Seltsamer Trank	Ghastträne	Roher Kabeljau
Axt	Glasflasche	Rohes Schweinekotelett
Lohenstaub	Funkelnde Melone	Redstone-Staub
Lohenrute	Glowstone-Staub	Verrottetes Fleisch
Knochen	Goldklumpen	Sattel
Stiefel	Goldene Karotte	Sand
Bogen	Schießpulver	Hornschuppe
Karotte	Helm	Schere
Karottenangel	Hacke	Schaufel
Kohle	Hose	Shulkerhülle
Bruchstein	Schallplatte	Skelettschädel
Gebratenes Hühnchen	Nautilusmuschel	Spinnenauge
Creeper-Kopf	Netherstern	Stock
Armbrust	Netherwarze	Faden
Brustplatte	Phantommembrane	Zucker
Drachenei	Spitzhacke	Schwert
Elytren	Kartoffel	Totem der Unsterblichkeit
Smaragd	Trank des Feuerwiderstands	Dreizack
Zauberbuch	Trank der Heilung	Stolperdrahthaken
Erfahrungspunkte	Trank der Geschwindigkeit	Schildkrötenpanzer
Feder	Trank der Wasseratmung	Wirrpilz auf einem Stock
Fermentiertes Spinnenauge	Prismarinkristalle	Wasserflasche
Angel	Prismarinscherbe	Nasser Schwamm
Feuerstein	Kugelfisch	Witherskelettschädel
Feuerzeug	Hasenpfote	Zombiekopf

VORBEREITUNG IST ALLES

Ein weiser Abenteurer bereitet sich stets gut vor, bevor er
das Schlachtfeld betritt. Das bedeutet natürlich, sich die
bestmöglichen Waffen und Rüstungsteile zu sichern – doch
das ist nur die Spitze des Eisbergs. Erkunde mit uns die
unzähligen Möglichkeiten, die dir zur Verfügung stehen,
um dich zu einem gefürchteten Krieger zu machen –
von Schwertern und Schilden bis hin zu Nahrungsmitteln,
Tränken und Verzauberungen.

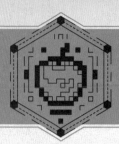

DIE BILDSCHIRM-ELEMENTE

1 SCHNELLZUGRIFFSLEISTE
Diese Leiste ist wie ein Mini-Inventar, das du mit deinen am meisten benutzten Gegenständen, Waffen und Werkzeugen bestücken kannst, um unkompliziert zwischen ihnen hin und her zu schalten.

2 AUSGEWÄHLTER GEGENSTAND
Der ausgewählte Gegenstand lässt sich an dem dicken Rahmen um das Icon erkennen. Ist eine Waffe oder ein Werkzeug ausgewählt, schwingst du diese mit der Benutzen-Taste.

3 ZWEITHANDFELD
Dieses Feld erlaubt es dir, einen zweiten Gegenstand mit in den Kampf zu nehmen. Du kannst hier Schilde anlegen oder unterschiedliche Arten von Pfeilen.

4 LEBENSANZEIGE
Die Herzen zeigen an, wie es um deine Gesundheit bestellt ist. Ein Herz steht für zwei Gesundheitspunkte. Erleidest du Schaden, verlierst du Gesundheitspunkte. Verlierst du alle, heißt es Game Over!

TOP-TIPP
Du kannst im Inventarbildschirm anpassen, was in deiner Schnellzugriffsleiste erscheinen soll. Die unterste Reihe des Inventarbildschirms entspricht der Schnellzugriffsleiste, und du kannst deine Gegenstände und Blöcke aus dem Inventar in die Schnellzugriffsleiste ziehen, damit du schnellen Zugriff darauf hast, ohne immer dein Inventar aufrufen zu müssen.

Bevor du dich ins Kampfgeschehen stürzt, solltest du dich vergewissern, dass du verstehst, was du auf dem Bildschirm siehst. Das Head-up-Display (HUD) zeigt dir auf einen Blick alles, was du wissen musst – von deiner Gesundheit über deinen Hunger bis hin zu den Waffen, die du führst.

5 RÜSTUNG

Trägst du ein oder mehrere Rüstungsteile, werden hier Brustplatten angezeigt. Diese Icons funktionieren wie die Herzen der Lebensanzeige – zwei Rüstungspunkte pro Brustplatte. Ein Rüstungspunkt reduziert den erlittenen Schaden um 4 %.

6 HUNGER

Diese Fleischkeulen zeigen an, wie hungrig du bist – eine steht für zwei Nahrungspunkte. Die Anzeige muss nicht voll sein, ist sie jedoch leer, erleidest du so lange Schaden, bis du etwas isst. Bei drei Keulen oder weniger kannst du außerdem nicht mehr sprinten.

7 SAUERSTOFF

Unter Wasser hast du einen begrenzten Vorrat an Atemluft. Die Anzeige lädt sich wieder auf, wenn du den Kopf über Wasser hältst oder Luft aus einer Blasensäule atmest. Ist dein Luftvorrat erschöpft, nimmst du kontinuierlich Schaden, bis du ertrinkst.

8 ERFAHRUNGSLEISTE

Immer wenn du Erze abbaust, Fische fängst, Monster besiegst oder diverse andere Aktionen ausführst, erhältst du grüne Erfahrungskugeln, die deine Erfahrungsstufe steigen lassen. Erfahrungsstufen werden u. a. für Verzauberungen benötigt.

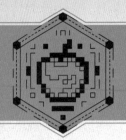

WÄHLE DEINE WAFFE

SCHWERT

VARIANTEN						
ANGRIFFS-KRAFT	5	6	7	5	8	9
HALTBAR-KEIT	60	132	251	33	1562	2032

Das gute alte Schwert ist wahrscheinlich die erste Waffe, die du in Minecraft benutzt hast, und seither hast du wohl auch stets eines mit dabei. Im Kampf fügt es mehr Schaden zu als die meisten Werkzeuge, du kannst es verzaubern und greifst damit schneller an als mit den meisten Alternativen.

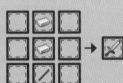

DREIZACK

VARIANTEN	
ANGRIFFS-KRAFT	8-9
HALTBAR-KEIT	251

Der Dreizack, den man nur von einem Ertrunkenen erhalten kann, ist eine vielseitige Waffe, die sich sowohl im Nah- als auch im Fernkampf einsetzen lässt. Dreizacke können mit speziellen Verzauberungen versehen werden, die sie entweder nach einem Wurf zurückkehren oder dich Blitze vom Himmel rufen lassen!

TOP-TIPP

Es ist wichtig, die Geschwindigkeit einer Waffe zu berücksichtigen. Schwerter richten nicht nur mehr Schaden an als Äxte, sie lassen sich auch schneller schwingen – du machst Monster damit also deutlich flotter platt.

In einem Kampf, der diese Bezeichnung auch verdient, bist du bis an die Zähne mit einem Arsenal mächtiger Waffen ausgerüstet. Vielleicht glaubst du ja, dass man mit einem Schwert bereits gut dasteht, aber es gibt auch andere Gegenstände und Blöcke, auf die man zurückgreifen kann, mit denen du vielleicht gar nicht gerechnet hast.

PFEIL UND BOGEN

VARIANTEN		
ANGRIFFS-KRAFT	1-10	
HALTBAR-KEIT	384	

Der Bogen ist eine altbewährte Fernkampfwaffe der Einstiegsklasse, die Pfeile verschießt. Der Schaden, den sie verursachen, hängt davon ab, wie lange du den Bogen spannst – je länger, desto mehr Schmerzen fügst du einem Gegner zu. Du kannst einen Bogen aus Stöcken und Fäden herstellen, und Pfeile aus einem Stock, einer Feder und einem Feuerstein.

ARMBRUST

VARIANTEN		
ANGRIFFS-KRAFT	9	
HALTBAR-KEIT	464	

Die Armbrust kann das Gleiche wie ein Bogen, ist dabei nur etwas langsamer und fügt konstanten Schaden zu. Außerdem lassen sich mit ihr auch Feuerwerksraketen abschießen! Wurden diese mit Feuerwerkssternen hergestellt, verursachen sie zusätzlich Explosionsschaden! Du kannst bis zu sieben Feuerwerkssterne in eine Feuerwerksrakete packen, um ein Feuerwerk zu zünden und ihren Schaden zu erhöhen.

AXT

VARIANTEN						
ANGRIFFS-KRAFT	4	5	6	4	7	8
HALTBAR-KEIT	60	132	251	33	1562	2032

Normalerweise wird die Axt zum Fällen von Bäumen verwendet, sie ist jedoch auch eine tödliche Waffe – geringfügig schwächer als ein Schwert, aber deutlich langsamer. Die Goldaxt hat eine geringe Angriffskraft und Haltbarkeit, und die Netherit-Axt – falls du die Materialien dafür entbehren kannst – schwimmt auf Lava.

HACKE, SCHAUFEL, SPITZHACKE

VARIANTEN						
ANGRIFFS-KRAFT	1	2	2	2	3	3
HALTBAR-KEIT	55	165	165	77	363	407

Solltest du einmal keine traditionelle Waffe zur Hand haben, kannst du stattdessen mit einem deiner vielen Werkzeuge kämpfen. Sie sind schwächer als Schwerter und Äxte und verlieren außerdem zwei Haltbarkeitspunkte pro Treffer – wie auch eine Axt. Sie werden dir also nicht sehr lange helfen. Die Diamant- und Netherit-Versionen verursachen dennoch ordentlich Schaden – und stärker als deine Fäuste sind sie allemal!

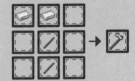  

TNT

VARIANTEN	
ANGRIFFS-KRAFT	–
HALTBAR-KEIT	–

Jetzt wird es spannend! TNT ist ein explosiver Block, der dazu gebracht werden kann, nach einer kurzen Verzögerung zu detonieren. Er zerstört die Blöcke innerhalb des Explosions-radius, verursacht Schaden und bewirkt einen Rückstoß bei allen in der Nähe befindlichen Kreaturen. Je mehr TNT du verwendest, desto größer die Explosion. Kreaturen, die sich näher am TNT befinden, erleiden auch mehr Schaden. TNT lässt sich aus sicherer Entfernung aktivieren, indem man eine Lunte aus Redstone-Staub damit verbindet.

SCHNEEBALL

VARIANTEN	
ANGRIFFS-KRAFT	0
HALTBAR-KEIT	–

Schneebälle erhältst du, indem du Schnee oder Schneeblöcke abbaust. Sie sind eher ein Ärgernis als eine Waffe, da sie kei-nen Schaden verursachen, sondern Spieler oder Kreaturen lediglich zurückstoßen – immerhin perfekt, um Monster von einer Klippe zu stürzen. Die einzigen Monster, denen sie Scha-den zufügen können, sind Lohen, die eine besondere Abnei-gung gegen so eine Ladung kalten Schnee zu haben scheinen.

EI

VARIANTEN	
ANGRIFFS-KRAFT	0
HALTBAR-KEIT	–

Wie die Schneebälle ist das Ei ein Projektil, das Kreaturen und Spieler zurückstößt, aber keinen Schaden verursacht. Man findet sie zuhauf auf Farmen, du solltest dich also problemlos in eine Eierschlacht stürzen können. Wenn du ein Ei wirfst, schlüpft dabei manchmal ein Küken – praktisch, um feindliche Spieler kurz abzulenken.

FEUERKUGEL

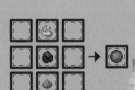

VARIANTEN	
ANGRIFFS-KRAFT	5-9
HALTBAR-KEIT	–

Hast du bereits einen Ausflug in den Nether hinter dir, hast du sicher schon den einen oder anderen Feuerball abbekommen. Mit Feuerkugeln kannst du den Spieß nun umdrehen. Du kannst damit überall auf der Welt ein Feuer entfachen – so wie mit einem Feuerzeug – oder sie in einen Spender laden, um sie in gerader Linie zu verschießen. Sie verursachen beim Aufprall Schaden und erzeugen auch Feuer, wenn sie einen Block oder eine Kreatur treffen!

SPENDER

VARIANTEN	
ANGRIFFS-KRAFT	–
HALTBAR-KEIT	–

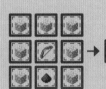

Erleichtere dir den Fernkampf, indem du dir von einem Spender das Verschießen von Projektilen abnehmen lässt. Der Spender schießt nicht nur Feuerkugeln, sondern kann auch Pfeile, Wurf- und Verweiltränke, Eier und Schneebälle, Feuerwerksraketen, Lavaeimer und sogar einen Dreizack abfeuern. Kombiniere einen Spender mit Hebeln, Druckplatten oder anderen Redstone-Mechanismen, um deine Angriffe zu automatisieren oder defensive Fallen aufzustellen.

LAVAEIMER

VARIANTEN	
ANGRIFFS-KRAFT	–
HALTBAR-KEIT	–

Schon mal daran gedacht, als letzten Ausweg einen Lavaeimer einzusetzen, wenn ein Kampf schlecht läuft? Du kannst einen Eimer befüllen, indem du ihn auf stehender Lava anwendest. Benutzt du dann den Eimer, entsteht ein Lavaquellblock, der einen Lavastrom um ihn herum erzeugt und die Erde darunter versengt. Die Lava kann bei Monstern Schaden über Zeit verursachen, macht das Schlachtfeld jedoch unbrauchbar. Ist wohl schlauer, den Eimer von einer höheren Position aus zu benutzen ...

RÜSTUNG & ELYTREN

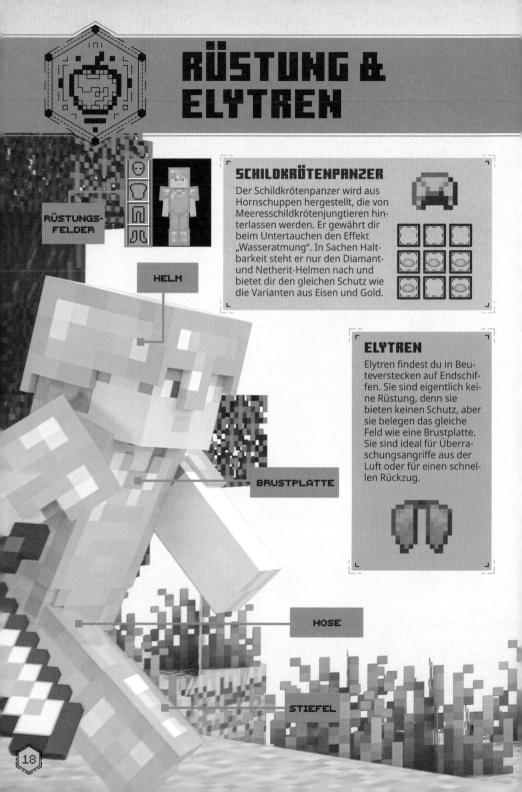

RÜSTUNGS-FELDER

HELM

SCHILDKRÖTENPANZER

Der Schildkrötenpanzer wird aus Hornschuppen hergestellt, die von Meeresschildkrötenjungtieren hinterlassen werden. Er gewährt dir beim Untertauchen den Effekt „Wasseratmung". In Sachen Haltbarkeit steht er nur den Diamant- und Netherit-Helmen nach und bietet dir den gleichen Schutz wie die Varianten aus Eisen und Gold.

ELYTREN

Elytren findest du in Beuteverstecken auf Endschiffen. Sie sind eigentlich keine Rüstung, denn sie bieten keinen Schutz, aber sie belegen das gleiche Feld wie eine Brustplatte. Sie sind ideal für Überraschungsangriffe aus der Luft oder für einen schnellen Rückzug.

BRUSTPLATTE

HOSE

STIEFEL

Jeder Abenteurer erleidet hin und wieder Schaden, dieser lässt sich jedoch reduzieren, indem du eine Rüstung anlegst, bevor du in den Kampf ziehst. Jedes Teil, das du trägst, verleiht dir Rüstungspunkte, die über den Gesundheitspunkten angezeigt werden. Außerdem kannst du Rüstungsteile mit diversen Verzauberungen versehen.

HELM

VARIANTEN						
RÜSTUNGS-PUNKTE	1	2	2	2	3	3
HALTBAR-KEIT	55	165	165	77	363	407

Helme gewähren geringfügigen Schutz. Sie können mit Schutzverzauberungen sowie helmspezifischen Verzauberungen versehen werden, wie z. B. „Wasseraffinität", welche die Abbaugeschwindigkeit unter Wasser erhöht.

BRUSTPLATTE

VARIANTEN						
RÜSTUNGS-PUNKTE	3	5	6	5	8	8
HALTBAR-KEIT	80	240	240	112	528	592

Brustplatten gewähren mehr Rüstungspunkte als jeder andere Gegenstand. Sie können mit einer beliebigen Schutzverzauberung versehen werden sowie mit „Dornen", die einen Teil des erlittenen Schadens an Gegner zurückgeben.

HOSE

VARIANTEN						
RÜSTUNGS-PUNKTE	2	4	5	3	6	6
HALTBAR-KEIT	75	225	225	105	495	555

Hosen stehen in Sachen Rüstungsschutz nur den Brustplatten nach. Es gibt keine hosenspezifischen Verzauberungen, ihre ohnehin schon hohe Haltbarkeit lässt sich jedoch mit der entsprechenden Verzauberung nochmals steigern.

STIEFEL

VARIANTEN						
RÜSTUNGS-PUNKTE	1	1	2	1	3	3
HALTBAR-KEIT	65	195	195	91	429	481

Stiefel bieten nicht viel Schutz, für sie existieren jedoch ein paar nützliche Verzauberungen, wie etwa „Wasserläufer", womit sich die Schwimmgeschwindigkeit unter Wasser erhöhen lässt, und „Federfall", welche den Fallschaden vermindert.

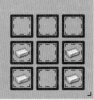

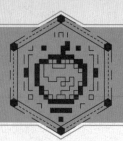

GESUNDHEITSEFFEKTE

In jeder Welt, in der du startest, zeigt deine Hungerleiste zu Beginn zehn Fleischkeulen an, was 20 Hungerpunkten entspricht. Durch das Ausführen von Aktionen – Blöcke abbauen, Monster angreifen, Laufen, Springen, Schwimmen – schrumpft deine Hungerleiste. Unterschiedlich großer Hunger wird dabei von unterschiedlichen Effekten begleitet.

Hast du 18 Hungerpunkte oder mehr, werden verlorene Gesundheitspunkte wiederhergestellt.

Bei unter 18 Punkten verlierst du keine Gesundheitspunkte und es werden auch keine regeneriert.

Fällt deine Hungerleiste auf 0 Punkte, verlierst du alle paar Sekunden einen Gesundheitspunkt.

Hast du 6 oder weniger Hungerpunkte, kannst du nicht mehr sprinten.

Hast du mehr als 18 Hungerpunkte und erleidest irgendeinen Schaden, werden direkt 2 Gesundheitspunkte wiederhergestellt.

Wir haben nun also gelernt, wie du deinen Kopf, deine Füße und andere Kör-
perteile mit einer Rüstung schützt, aber wie kannst du deinem Magen etwas
Gutes tun? Hunger wird von allen Aktionen beeinflusst und kann einen mas-
siven Einfluss auf deine Gesundheit und deine Fähigkeiten haben. Es ist
also im Interesse eines jeden Kämpfers, für stete Sättigung zu sorgen.

SCHMACKHAFTE SATTMACHER

Mit Nahrung kannst du deine Hungerleiste wieder auffüllen. Zum Glück findet man fast überall
in Minecraft Nahrung – von einfachen Feldfrüchten bis hin zu deftigen Suppen. Hier sind die Le-
ckereien, mit denen du unterschiedliche Mengen an Hungerpunkten wiederherstellen kannst:

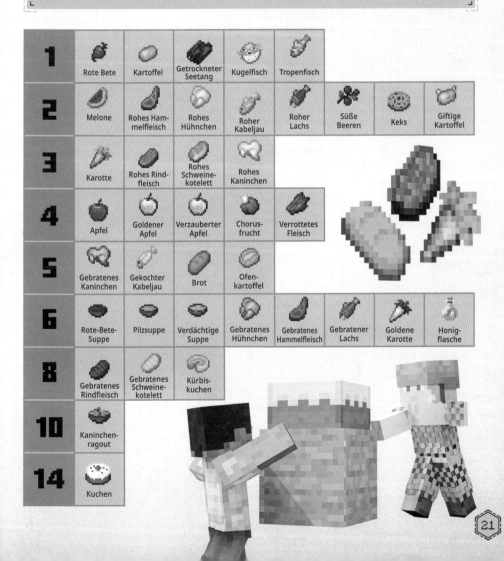

1	Rote Bete	Kartoffel	Getrockneter Seetang	Kugelfisch	Tropenfisch			
2	Melone	Rohes Hammelfleisch	Rohes Hühnchen	Roher Kabeljau	Roher Lachs	Süße Beeren	Keks	Giftige Kartoffel
3	Karotte	Rohes Rindfleisch	Rohes Schweinekotelett	Rohes Kaninchen				
4	Apfel	Goldener Apfel	Verzauberter Apfel	Chorusfrucht	Verrottetes Fleisch			
5	Gebratenes Kaninchen	Gekochter Kabeljau	Brot	Ofenkartoffel				
6	Rote-Bete-Suppe	Pilzsuppe	Verdächtige Suppe	Gebratenes Hühnchen	Gebratenes Hammelfleisch	Gebratener Lachs	Goldene Karotte	Honigflasche
8	Gebratenes Rindfleisch	Gebratenes Schweinekotelett	Kürbiskuchen					
10	Kaninchenragout							
14	Kuchen							

21

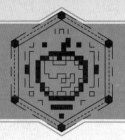

DIMENSIONS-WECHSEL

DER NETHER

WIE MAN DORTHIN GELANGT

Von den beiden Dimensionen, in die du reisen kannst, ist der Nether am einfachsten zu erreichen. Du kannst ein Portal in die Oberwelt bauen, indem du einen rechteckigen Rahmen aus Obsidian erstellst, zwischen 4 × 5 und 23 × 23 Blöcke groß. Sobald der Rahmen fertig ist, zünde ihn mit einem Feuerzeug an, woraufhin ein violettes Portal erscheint.

LANDSCHAFT

Der Nether besteht aus unterschiedlichen Biomen, die allesamt schwach ausgeleuchtet und mit Lavafällen und Feuer durchsetzt sind. Die Karmesin- und Wirrwälder werden von fremdartiger Vegetation beherrscht, und das Nether-Ödland ist feurig durch und durch. Du wirst im Nether außerdem auf Strukturen wie zerfallene Portale und Bastionsruinen stoßen.

BEWOHNER

Die Monster, die den Nether durchstreifen, sind größtenteils feindselige Bestien – Lohen, Magmawürfel und Ghasts, um nur ein paar zu nennen. Manche von ihnen haben feurige Attacken, wohingegen Piglins sogar recht freundlich sind ... solange du in Gold gekleidet bist. Und einige Monster aus der Oberwelt, wie der Enderman und das Skelett, haben sich anscheinend auch durch ein Portal in den Nether verirrt.

Es ist nie zu früh, darüber nachzudenken, die Oberwelt mal hinter sich zu lassen und einen Ausflug in die Nether- und Enddimensionen zu machen. Wenn du die beste Ausrüstung und die besten Gegenstände ergattern willst, ist ein Besuch dort quasi ein Muss. Mach dich jedoch auf eine Reise voller Gefahren gefasst ...

DAS ENDE

WIE MAN DORTHIN GELANGT

Um ins Ende zu gelangen, musst du eine Festung aufsuchen. Dort findest du ein Endportal, das du jedoch erst aktivieren musst, indem du Enderaugen in alle leeren Endportalrahmen einsetzt. Die Enderaugen lassen sich aus Lohenstaub und Enderperlen herstellen. Letztere werden gelegentlich von Endermen hinterlassen.

LANDSCHAFT

Vor dem tiefschwarzen Himmel sorgen blassgelber Endstein und Purpurblöcke für den typischen Look der Dimension. Wenn du zum ersten Mal das Ende betrittst, führt dich eine Gruppe von Inseln zum Enderdrachen, und sobald du ihn besiegt hast, erhältst du Zugang zu den Endsiedlungen, wo Schiffe über exotischen Chorusbäumen schweben.

BEWOHNER

Es gibt nicht allzu viele Monster, die das Ende ihr Zuhause nennen, aber die, die dort wohnen, können dich ganz schön das Fürchten lehren. Der Enderdrache wird dir mit Sicherheit die meisten Probleme bereiten. Und dann ist da noch die „Schwebekraft", ein Statuseffekt, den Shulker dir mit ihren Geschossen zufügen können – lästiger als die meisten Attacken! Und natürlich hat es der Enderman auch hierhergeschafft. Gibt es einen Ort, an den er nicht kommt?

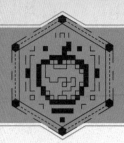

DIMENSIONS-EINKAUFSLISTE

LOHENRUTE/ LOHENSTAUB

Wenn du planst, Tränke zu brauen, musst du dir mindestens eine Lohenrute besorgen, die für das Braustandrezept benötigt wird. Lohenruten können von Lohen hinterlassen werden, die du in Netherfestungen antriffst. Diese lassen sich auch zu Lohenstaub verarbeiten, der zwingend für alle Brauvorgänge benötigt wird.

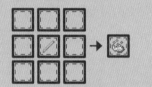

DRACHENATEM

Dieser Gegenstand ist am schwierigsten zu beschaffen, da du dich dafür dem Enderdrachen stellen musst. Sammle mit einer leeren Glasflasche entweder den Atem oder die Drachen-Feuerkugeln ein. Du kannst den Drachenatem mit einem beliebigen geworfenen Trank kombinieren, um ihn in einen verweilenden Trank zu verwandeln.

GLOWSTONESTAUB

Du wirst schnell feststellen, dass die dunkle Umgebung des Nethers durch Glowstone erhellt wird. Baue diese Blöcke ab, um bis zu vier Einheiten Glowstone-Staub zu erhalten, der beim Brauen verwendet wird, um die Wirkung eines Trankes zu verstärken. Er kann auch für Feuerwerkssterne benutzt werden, die wiederum für explosive Armbrust-Munition benötigt werden.

NETHERWARZE

Mache einen Ausflug in eine Netherfestung oder Bastionsruine, um Vorkommen aufzustöbern, von denen du jeweils bis zu vier Netherwarzen abernten kannst. Sie sind fürs Brauen unentbehrlich, da sie eine Grundzutat für seltsame Tränke sind, die Basis für fast alle Effekttränke!

MAGMACREME

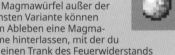

Alle Magmawürfel außer der kleinsten Variante können beim Ableben eine Magmacreme hinterlassen, mit der du einen Trank des Feuerwiderstands brauen kannst. Dieser Trank wird dir im Kampf gegen die feurigen Bewohner des Nethers gute Dienste leisten.

Nachdem du nun also zu diesen seltsamen Dimensionen gefunden und einige ihrer Bewohner kennengelernt hast, fragst du dich vielleicht, wonach du Ausschau halten solltest. Diese praktische Übersicht stellt dir Gegenstände vor, die du dazu nutzen kannst, weitere äußerst nützliche Gegenstände für den Kampf herzustellen.

ANTIKER SCHUTT

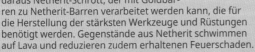

Antiker Schutt ist einer der seltensten Erzblöcke und kann nur im Nether gefunden und mit einer Diamant- oder Netherit-Spitzhacke abgebaut werden. In einem Ofen eingeschmolzen, entsteht daraus Netherit-Schrott, der mit Goldbarren zu Netherit-Barren verarbeitet werden kann, die für die Herstellung der stärksten Werkzeuge und Rüstungen benötigt werden. Gegenstände aus Netherit schwimmen auf Lava und reduzieren zudem erhaltenen Feuerschaden.

ELYTREN

Nachdem du den Enderdrachen besiegt hast, kannst du zu den Endsiedlungen gelangen, Strukturen auf den äußeren Endinseln, die von heimtückischen Shulkern beschützt werden. Erreichst du eines der schwebenden Endschiffe, solltest du darauf eine Beutetruhe finden, die Elytren enthält. Diese verleihen dir die Fähigkeit, durch die Lüfte zu gleiten.

GHASTTRÄNE

Wenn es dir gelingt, dem Feuerballbeschuss eines Ghasts zu trotzen und ihn zu besiegen, erhältst du womöglich eine Ghastträne. Ghasts findest du in den Nether-Biomen Basaltdeltas, Seelensandtal und Nether-Ödland. Ghasttränen benötigst du zum Brauen von Tränken der Regeneration, die über die Zeit Gesundheitspunkte wiederherstellen.

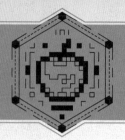

VERZAUBERUNGS-ABLAUF

EINEN ZAUBERTISCH BENUTZEN

Wenn du mit einem Zaubertisch interagierst, erscheint dieses Fenster – das Verzauberungsmenü.

Platziere den Gegenstand, den du verzaubern willst, in dieses Feld.

In diesem Bereich werden bis zu drei zufällige Verzauberungen angezeigt, die du auf den Gegenstand anwenden kannst.

Hier platzierst du die erforderliche Menge Lapislazuli – ein bis drei Stück.

Die Zahl auf der linken Seite gibt an, wie viele Erfahrungsstufen aufgewendet werden, wenn du diesen Gegenstand mit dieser Verzauberung versiehst.

Hier siehst du die Verzauberungsstufe, die anzeigt, wie mächtig die Verzauberung sein wird.

Die angezeigten Verzauberungen werden zufällig generiert, je nach zu verzauberndem Gegenstand, Menge der eingesetzten Lapislazuli und der Anzahl der beigestellten Bücherregale. Die Namen der Verzauberungen sind im galaktischen Standardalphabet geschrieben, aber wenn du mit dem Mauszeiger darüberfährst, erhältst du einen Hinweis auf die jeweilige Verzauberung.

Egal, welche Waffen du nutzt, sie können mithilfe eines Zaubertischs deutlich aufgewertet werden. Das Verzaubern ist ein Prozess, bei dem deine Erfahrungsstufen und Lapislazuli gegen zusätzliche Fähigkeiten oder erhöhte Werte von Gegenständen eingetauscht werden.

ERHALTE ZUGANG ZU MÄCHTIGEN VERZAUBERUNGEN

Um die mächtigsten Verzauberungen anwenden zu können, brauchst du großes Wissen ... oder zumindest die Bücher, die es enthalten. Ein Zaubertisch zieht Energie aus in der Nähe befindlichen Bücherregalen, um sein volles Potenzial auszuschöpfen. Du wirst sehen, wie fremdartige Glyphen von Bücherregalen, die einen Block von deinem Zaubertisch entfernt sind, zu ihm schweben.

Die optimale Anzahl von Bücherregalen, die du benötigst, um die mächtigsten Verzauberungen freizuschalten, ist 15. Die Bücherregale sollten jeweils einen Block entfernt vom Zaubertisch auf gleicher Höhe oder eine Ebene höher stehen. Hier siehst du das Beispiel einer Bibliothek, die du nachbauen kannst.

FLÜCHE

Womöglich stößt du bei deinen Abenteuern auf Gegenstände, die mit bösartigen Verzauberungen versehen sind – also mit Flüchen. Der „Fluch der Bindung" etwa verhindert das Ablegen eines Rüstungsteils, während der „Fluch des Verschwindens" einen Gegenstand verschwinden lässt, wenn du stirbst.

TOP-TIPP

Blättere auf die nächste Seite, um zu erfahren, mit welchen Verzauberungen du bestimmte Gegenstände versehen kannst.

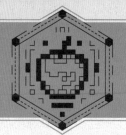

VERZÜCKENDE VERZAUBERUNGEN

NAHKAMPF

NEMESIS DER GLIEDERFÜSSER

Erhöht den Schaden gegen insekten-artige Kreaturen.

VERBRENNUNG

Steckt bei einem Treffer den Gegner in Brand.

PLÜNDERUNG

Erhöht die Chance, dass Krea-turen Gegenstände hinterlas-sen.

RÜCKSTOSS

Schleudert den Gegner bei einem Treffer weiter zurück.

RÜSTUNG

FEDERFALL

Vermindert den erlittenen Fallschaden.

EXPLOSIONSSCHUTZ

Erhöht den Schutz gegen Explosions-schaden.

FEUERSCHUTZ

Erhöht den Schutz gegen Feuerschaden und verringert die Dauer, die man brennt.

SCHUSSSICHER

Erhöht den Schutz gegen Projektile wie etwa Pfeile.

SCHUTZ

Erhöht den Schutz gegen alle Schadens-typen geringfügig.

Du weißt nun also, wie das Verzaubern funktioniert, bleibt nur die Frage: Was sollst du verzaubern? Auf diesen Seiten findest du die nützlichsten Verzauberungen, mit denen du deine Ausrüstung versehen kannst, um dir Vorteile im Kampf zu verschaffen. Such dir deine Favoriten heraus und mach dich an die Arbeit!

FERNKAMPF

UNENDLICHKEIT
Sorgt dafür, dass normale Pfeile beim Schießen nicht verbraucht werden.

FLAMME
Steckt mit einem Pfeil getroffene Gegner in Brand.

KRAFT
Jeder Pfeil, den du abschießt, fügt dem Gegner mehr Schaden zu.

MEHRFACHSCHUSS
Verschießt drei Projektile auf einmal, verbraucht aber nur eines.

DREIZACK

TREUE
Lässt den Dreizack nach dem Werfen wieder zu dir zurückkehren.

ENTLADUNG
Während eines Gewitters kann ein Dreizack einen Blitz beim Gegner einschlagen lassen.

SOG
Lässt den Spieler in Richtung des Dreizacks mitfliegen, wenn er beim Werfen im Wasser ist oder es regnet.

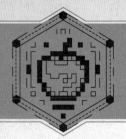

ES BRAUT SICH WAS ZUSAMMEN

WAS WIRD BENÖTIGT?

Als Allererstes brauchst du einen Braustand. Diesen findest du in Tempeln in Dörfern, Iglus und Endschiffen. Alternativ kannst du einen aus einer Lohenrute und entweder drei Blöcken Bruchstein, Schwarzstein oder Bruchtiefenschiefer herstellen. Außerdem benötigst du:

Glasflaschen als Gefäße für die Tränke.

Lohenstaub feuert den Brauvorgang an. Eine Einheit reicht für 20 Tränke.

Kessel kannst du dazu benutzen, um Glasflaschen mit Wasser zu füllen.

Weitere Zutaten sind für die Art und die Effekte der Tränke verantwortlich.

DAS BRAUSTAND-FENSTER

Wenn du mit einem Braustand interagierst, erscheint das Braustandmenü.

Dies ist das Feld für den Lohenstaub. Er beginnt zu leuchten und lässt die Bläschen aufsteigen, wenn ein neuer Trank hergestellt wird.

In dieses Feld kommt die Zutat für den gewünschten Effekt. Es führt zu den drei Flaschenfeldern und verwandelt das Wasser oder den Trank darin.

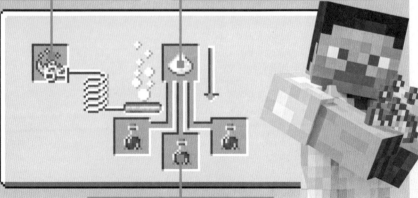

Diese Felder sind für Wasserflaschen oder Tränke. Bis zu drei können auf einmal eingesetzt werden.

Verzauberungen können dir Schutz bieten und deine Fähigkeiten steigern, sie sind jedoch nicht der einzige Weg, solche Ergebnisse zu erzielen. Beim Brauen kannst du eine Vielzahl von Tränken zusammenmischen, die dir im Kampf die Oberhand verleihen oder aber Chaos bei deinen armen Gegnern stiften.

GRUNDLAGEN 1X1

1 Befülle zunächst deine Flaschen mit Wasser aus einem Kessel oder einer natürlichen Wasserquelle.

2 Setze die Wasserflaschen in die drei Felder ein und füge als Brennstoff Lohenstaub hinzu.

3 Bevor du den Tränken Effekte verleihen kannst, musst du Basistränke herstellen. Setze dazu eine Netherwarze in das Zutatenfeld, um drei seltsame Tränke zu erhalten. Seltsame Tränke sind die Basis für fast alle Effekttränke.

4 Jetzt kannst du endlich eine Effektzutat hinzufügen. Lass die seltsamen Tränke, wo sie sind, und gib etwas Zucker hinzu. Warte ein wenig, und die seltsamen Tränke werden zu Tränken der Geschwindigkeit.

5 Nun entnimmst du die Tränke aus den Flaschenfeldern und packst sie in dein Inventar – sie sind bereit, getrunken zu werden, wenn du sie brauchst.

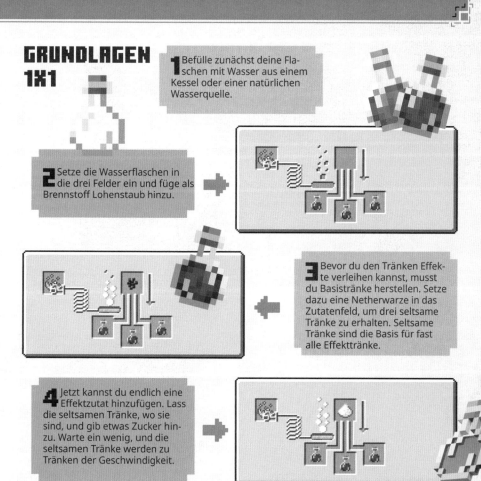

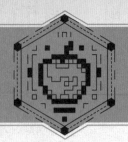

TRAUMHAFTE TRÄNKE

TRANK DES FEUERWIDERSTANDS

Macht dich immun gegen Feuer, Lava, Magmablöcke und manche Feuerbälle.

TRANK DES LANGSAMEN FALLS

Lässt dich langsam zu Boden sinken und verhindert jeglichen Fallschaden.

TRANK DER STÄRKE

Erhöht deinen Nahkampfschaden, bewaffnet wie unbewaffnet.

TRANK DER NACHTSICHT

Lässt dich im Dunkeln beinahe so gut sehen wie am helllichten Tag.

TRANK DER SCHWÄCHE

Verringert den Nahkampfschaden. Benötigt eine Wasserflasche als Basis anstelle des seltsamen Tranks.

TRANK DES SCHILD-KRÖTEN-MEISTERS

Lässt dich langsamer laufen und verringert erlittenen Schaden.

TRANK DER WASSERATMUNG

Lässt dich für die Wirkungsdauer unter Wasser atmen.

TRANK DER REGENERATION

Stellt über Zeit Gesundheitspunkte wieder her.

Welche Mixturen wirst du wohl als Nächstes zusammenbrauen? Werden sie eine heilende oder schädliche Wirkung haben, dir Kraft geben oder gar Flügel verleihen? Wirf einen Blick auf diese Liste nützlicher Gebräue und entscheide. Die meisten Tränke benötigen einen seltsamen Trank als Basis. Nimm die Gegenstandslegende auf Seite 7 zu Hilfe, wenn du nicht weiterkommst.

TRANK DER SPRUNGKRAFT

Erlaubt es dir, höher zu springen, und verringert Fallschaden.

TRANK DER GESCHWINDIGKEIT

Lässt dich schneller laufen, damit du mehr von der Welt sehen kannst.

TRANK DER LANGSAMKEIT

Verringert das Lauftempo von Spielern und Kreaturen.

TRANK DER HEILUNG

Stellt sofort eine geringe Menge Gesundheitspunkte wieder her.

TRANK DER VERGIFTUNG

Verursacht Schaden über Zeit.

TRANK DES SCHADENS

Verursacht sofort Schaden beim Gegner.

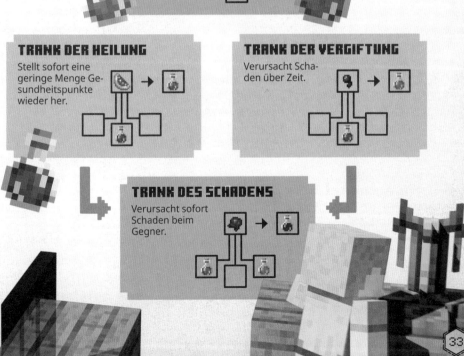

KENNE DEINEN FEIND

Nur Narren stürzen sich Hals über Kopf in einer beschädigten Lederrüstung in den Kampf. Clevere Krieger nehmen sich die Zeit, die Stärken und Schwächen ihrer Feinde auszuloten, damit sie sie im Kampf bezwingen können. Auf den folgenden Seiten beleuchten wir all die Kreaturen, denen du in Minecraft begegnest, vom schlüpfrigen Silberfischchen bis hin zum epischen Enderdrachen. Aber sie sind nicht alle böse – manche stehen dir auch helfend zur Seite!

LOHE

Hitzköpfiges, von Wut getriebenes Flugmonster

| ❤ 20 | ⚔ 6 | 🏹 5 |

| Drops | | | | | 10 EP |

Lohen sind in Netherfestungen zu Hause und machen Jagd auf jeden Spieler in einem Radius von 48 Blöcken. Sie rufen bei dem Versuch, ein unglückseliges Opfer zu überfallen, gerne auch Verstärkung herbei. Sie können fliegen und versuchen oft, zusammen mit ihren Artgenossen einen Spieler von oben anzugreifen.

Wenn eine Lohe einen Spieler im Visier hat, schießt sie bis zu drei Feuerbälle ab, die jeweils fünf Punkte Schaden anrichten. Verfehlen die Feuerbälle ihr Ziel, erzeugen sie am Aufschlagspunkt Feuer. Lohen können dir auch erheblichen Schaden zufügen, wenn du ihr loderndes Äußeres berührst! Feuerlöschende Gegenstände wie Wasser oder Schneebälle fügen ihnen Schaden zu, du kannst sie aber auch mit traditionelleren Mitteln bezwingen.

KAMPFTAKTIK

Wie schon das alte Sprichwort sagt, Feuer bekämpft man am besten mit ... Schnee? Schilde sind der einzige Schutz gegen die Feuerbälle der Lohen, achte also darauf, dass du eines in der Zweithand hast, um ihre Angriffe zu blocken, und bewirf sie dann mit Schneebällen, die jeweils drei Punkte Schaden verursachen, während sie im Feuer der Lohe verpuffen.

HÜHNERREITER

Bizarre Kombination aus Nutztier und fleischfressendem Kleinkind			
	20/4	3	–

Drops

22–25 EP

Wenn Kindervarianten von Zombies, Zombie-Dorfbewohnern, Wüstenzombies und Zombie-Piglins erscheinen, besteht eine fünfprozentige Chance, dass sie als Hühnerreiter das Licht der Spielwelt erblicken, wenn ein Huhn in der Nähe ist.

Zombiekinder (und ihre Varianten) haben dieselben Werte wie ihre erwachsenen Gegenstücke und erscheinen oft mit Ausrüstung, was sie noch gefährlicher macht. Zombie-Piglinkinder, die auf einem Huhn reiten, können dreimal so stark sein wie normale Zombiekinder!

KAMPFTAKTIK

Rette das Huhn, indem du einen Eimer Wasser auf den Reiter schüttest. Die beiden werden so voneinander getrennt, was dem Huhn die Flucht ermöglicht. Mit einer schnellen Abfolge von Schwertattacken kannst du dem verbleibenden Zombiekind den Garaus machen – Fernkampfangriffe eignen sich weniger, weil die Kleinen so schnell sind!

CREEPER

Zischendes Monster mit explosiver Persönlichkeit			
	20	0	43

Drops

    5 EP

Creeper bewegen sich lautlos über die Oberwelt. Das Erste, was du hören wirst, ist ihr Zischen, wenn sie kurz davorstehen, sich in die Luft zu sprengen. Ihre Explosion hat einen Radius von 7 Blöcken, aber du kannst davonrennen, wenn du das Zischen hörst, um die Detonation zu stoppen, oder aber die Explosion mit einem Schild blocken.

Sehr selten kann es vorkommen, dass du einem Creeper begegnest, der von einem Blitz getroffen wurde, ein sogenannter geladener Creeper. Er ist in eine blaue Elektro-Aura gehüllt und seine Sprengkraft ist noch mal deutlich größer – wenn ein geladener Creeper explodiert, richtet er sogar mehr Schaden an als TNT!

KAMPFTAKTIK

Bleib auf Abstand! Der Creeper kann dich nicht mit in den Tod reißen, wenn du weit genug entfernt bist. Greife ihn mit einer Armbrust an, um größeren Fernkampfschaden mit besserer Treffgenauigkeit als mit einem Bogen zu verursachen, und geh nach jedem Schuss wieder auf sicheren Abstand.

ERTRUNKENER

Durchweichter und untoter Bewohner der Meere			
	20	11	9

Drops 5-12 EP

Ertrunkene entstehen auf natürliche Weise unter Wasser oder als Resultat, wenn ein normaler Zombie ertrinkt – daher der Name. Sie sind aggressiv gegenüber Spielern, Meeresschildkrötenjungtieren, Dorfbewohnern und wandernden Händlern und machen aus dem Wasser heraus Jagd auf sie.

Tagsüber halten sie sich auf dem Grund von Gewässern auf und jagen schwimmende Kreaturen – sie können genauso schnell schwimmen wie ein Spieler. Bei Nacht verlassen sie das Wasser und suchen sich Beute an Land. Ertrunkenenkinder hinterlassen beim Ableben mehr Erfahrungskugeln.

KAMPFTAKTIK

Unter Wasser ist ihnen schwieriger beizukommen, warte also, bis es Nacht wird und sie aus dem Wasser steigen, um ihre Gelüste nach Fleisch zu befriedigen. Bleib auf Abstand, damit sie auf Fernkampfangriffe zurückgreifen. Weiche aus, so gut es geht, besonders wenn sie einen Dreizack werfen, denn damit verursachen sie großen Schaden. Beschieße sie dann mit Pfeil und Bogen. Mit etwas Glück hinterlassen sie beim Ableben sogar ihren Dreizack!

WÄCHTERÄLTESTER

Zyklopische Unterwasser-
bestie, die magische
Strahlen verschießt!

❤	⚔	🏹
80	2	8

Drops

10 EP

Jedes Ozeanmonument wird von drei Wächterältesten beschützt. Sind sie erst einmal besiegt, erscheinen sie zum Glück nicht wieder. Wächterälteste sind unnachgiebige Kämpfer: Sie
schwimmen nicht vor Spielern davon, da
sie zwei mächtige Angriffe in
ihrem Arsenal haben, um
Feinde abzuwehren.

Sie fahren ihre Stacheln aus
oder benutzen ihren magi-
schen Augenstrahl, mit dem
sie Spieler bis zu einer Entfernung von 14 Blöcken treffen.
Außerdem belegen sie Spieler
mit „Abbaulähmung".

KAMPFTAKTIK

Besonders gefährlich ist der Wächterälteste, wenn er dich mit seinem magischen Strahl
anvisiert. Suche dir also unbedingt eine Deckung, wenn du siehst, wie der Strahl sich
auflädt. Der Wächterälteste ist anfällig für die Verzauberung „Harpune", die die Angriffskraft von Dreizacken erhöht. Wirf einen so verzauberten Dreizack auf die Was-
serkreatur, weiche aus und versteck dich – ist der Dreizack zusätzlich mit „Treue" verzaubert, kehrt er nach dem Wurf zu dir zurück, und du kannst den Vorgang wiederholen.

ENDERMILBE

Nerviges Insekt, das
wie von Geisterhand
erscheint

❤️	⚔️	🏹
8	2	–

Drops

3 EP

Die Endermilbe ist sofort an den violetten Partikeln, die sie
umgeben, zu erkennen, ansonsten jedoch ein recht simples
Monster. Sie hat einen ziemlich schwachen Angriff und nur
wenig Gesundheitspunkte, sie stellt also keine wirkliche
Bedrohung dar.

Endermilben erscheinen manchmal, nachdem der Spieler
eine Enderperle geworfen hat. Sie sind also selten, und die
Chance, von ihnen überwältigt zu werden, ist gering. Nach
zwei Minuten verschwinden sie wieder aus der Spielwelt!
Endermen versuchen, die Welt von Endermilben zu befreien.

KAMPFTAKTIK

Mit Endermilben musst du dich nicht allzu lange abgeben. Dank ihrer relativ niedrigen Lebensenergie kannst du sie mit einer Holzaxt mit nur zwei Hieben erledigen. Eine Holzaxt
mit der Verzauberung „Nemesis der Gliederfüßer II", die den Schaden gegen Insekten-
kreaturen um fünf Punkte erhöht, ist gar in der Lage, Endermilben mit einem einzigen
Schlag zu töten!

MAGIER

Zaubernder Illager, der allerlei Tricks auf Lager hat			
	24	–	6

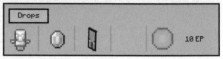

Drops				
				10 EP

Ein Meister der Magie, der in Waldanwesen und bei Überfällen anzutreffen ist. Er hebt seine Arme, um seine Zauber zu wirken: Steigen von seinen Händen violette Partikel auf, schießen schnappende Fangzähne aus dem Boden. Sind die Partikel weiß, beschwört er Plagegeister als Gehilfen herbei.

KAMPFTAKTIK

Die Abklingzeit jedes Angriffszaubers des Magiers beträgt mindestens fünf Sekunden – länger, wenn er versucht, denselben Zauber zweimal hintereinander zu wirken. Wenn du also den Fangzähnen geschickt ausweichst, hast du Zeit, dich mit dem Schwert auf ihn zu stürzen, ein paarmal zuzuschlagen und dich wieder in sichere Entfernung zu begeben. Wiederhole dies, bis der Magier besiegt ist.

PLAGEGEIST

Fliegendes Ärgernis im Dienste des Magiers			
	14	9	–

Drops			
			5 EP

Plagegeister können nur von Magiern beschworen werden und greifen auf Kommando mit einem Eisenschwert an. Für ihre geringe Größe sind sie ziemlich schlagkräftig – jeder ihrer Hiebe ist stärker als die Angriffe ihres Meisters! Sie können sich auch durch Blöcke hindurchbewegen, um Angriffen aus dem Weg zu gehen.

KAMPFTAKTIK

Plagegeister sind wendige Biester, die oft außer Reichweite schweben. Sie leuchten rot, wenn sie angreifen wollen. Du könntest also einen verweilenden Trank des Schadens auf den Boden werfen, bevor sie angerauscht kommen, oder sie mit dem langen Dreizack bearbeiten. Maximal zwei Minuten nach ihrem Erscheinen erleiden sie Schaden über Zeit, konzentriere dich also zuerst auf den Magier.

GHAST

Schwebende Bedrohung
mit explodierender
Feuerballattacke

10   –   12

Drops

5 EP

Der Ghast ist dazu verdammt, endlos durch den Nether zu treiben. Seine riesige, gespenstische Fratze ist also ein häufiger Anblick in der höllischen Dimension. Er hat nur wenig Gesundheitspunkte, dafür aber einen tödlichen Feuerballangriff.

Der Ghast schießt einen Feuerball auf jeden für ihn sichtbaren Spieler innerhalb eines Radius von 64 Blöcken ab und feuert alle paar Sekunden weiter, bis der Spieler besiegt oder nicht mehr in seinem Sichtfeld ist. Die Feuerbälle bewegen sich relativ langsam und sind leicht zu umgehen, fliegen aber unendlich weit in einer geraden Linie. Wenn du das Pech hast, von einem getroffen zu werden, verursacht er zusätzlich Explosivschaden und entzündet in der Nähe befindlichen Netherstein.

KAMPFTAKTIK

Der Ghast hat eine große Schwachstelle: seine eigenen Feuerbälle. Triffst du einen mit einer Nahkampfwaffe oder einem Projektil, schickst du ihn direkt zum Absender zurück. Trifft er den Ghast, erleidet dieser 1000 Punkte Schaden. Falls sich das zu riskant für dich anhört, tun es auch Pfeil und Bogen und etwas Geduld.

WÄCHTER

Kleinere zyklopische Unterwasserbestie, aber immer noch tödlich

 30 2 6

Drops

  10 EP

Der kleinere Bruder des Wächterältesten teilt viele Eigenschaften mit seinem älteren Gegenstück. Er hat ebenfalls einen Stachelangriff und einen magischen Strahl, den er aus seinem Auge verschießt und der ähnlich viel Schaden verursacht. Allerdings hat der Wächter deutlich weniger Gesundheitspunkte als die große Variante.

Was dem Wächter an Lebensenergie fehlt, macht er jedoch mit seiner Intelligenz wieder wett – im Gegensatz zu seinem großen Bruder schwimmt der Wächter von Spielern weg und führt Ausweichmanöver aus, damit er aus der Ferne mit seinem magischen Strahl angreifen kann.

KAMPFTAKTIK

Wächter sind ebenfalls anfällig für einen mit „Harpune" verzauberten Dreizack. Da sie jedoch eher defensiv eingestellt sind, bietet sich eine konzentrierte Nahkampfoffensive vielleicht mehr an als Dreizackattacken aus der Ferne. Am besten platzierst du bei deiner Jagd auf ihn immer ein paar Blöcke als Deckung.

HOGLIN

Im Nether heimische Schweinekreatur mit brutaler Sturmattacke			
	40	8	–

Drops

 3 EP

Diese Bestie streift durch die Karmesinwälder des Nethers. Sie stürmt auf in der Nähe befindliche Spieler zu und schleudert sie wie leblose Puppen durch die Luft. Sie hat eine Abneigung gegen bestimmte Blöcke, wie etwa Wirrpilze und Netherportale, und meidet diese nach Möglichkeit.

KAMPFTAKTIK

Mach dir die Angst eines Hoglins zunutze: Stell dich in ein Feld aus Wirrpilzen, damit der Hoglin zwar Interesse zeigt, sich aber zu sehr fürchtet, näher zu kommen, und schieße aus sicherer Entfernung Pfeile auf ihn. Achte darauf, dass das Feld mindestens 4 × 4 Blöcke groß ist, sonst könnte er seine Angst überwinden und dich trotzdem angreifen. Hoglinferkel verursachen verständlicherweise weniger Schaden.

ZOGLIN

Zombifizierter Ex-Bewohner des Nethers			
	40	8	–

Drops

 3 EP

Wenn portalscheue Hoglins die Oberwelt betreten, machen sie eine grässliche Verwandlung in eine zombifizierte Variante ihrer selbst durch. In der Zoglinform verlieren sie die Angst vor bestimmten Blöcken, behalten aber ihre mächtige Sturmattacke.

KAMPFTAKTIK

Als untotes Monster erleidet der Zoglin durch Gegenstände Schaden, die sofort Gesundheitspunkte regenerieren. Wenn du Abstand halten und ihn mit Heiltränken bewerfen kannst, ist ihm also leicht beizukommen. Und solltest du letztlich doch Schaden erleiden, weil er dich durch die Luft wirbelt, hast du direkt einen Gegenstand zur Hand, mit dem du deine Gesundheitspunkte wieder auffüllen kannst.

WÜSTENZOMBIE

Wüstentaugliche Zombies, die immun gegen Sonnenlicht sind			
	20	3	–

Drops

        3 EP

Der Wüstenzombie ist hauptsächlich in den kargen Sandlandschaften von Wüstenbiomen anzutreffen. Er ist eine widerstandsfähigere Variante des Zombies, die keinen Schaden erleidet, wenn sie dem Tageslicht ausgesetzt ist.

Er verfolgt Spieler aus größerer Entfernung als Zombies – bis zu 40 Blöcke weit weg – und fügt einem Spieler bei einem Treffer den Statuseffekt „Hunger" zu, wodurch dessen Nahrungspunkte schneller abnehmen. Wüstenzombies erscheinen oft mit Ausrüstungsgegenständen – zum Glück ist jedoch nichts Gefährlicheres als ein Eisenschwert dabei.

KAMPFTAKTIK

Wüstenzombies haben keine offensichtliche Schwachstelle, die man ausnutzen könnte – die gute alte Kombination aus Schwert und Schild sollte also ausreichen. Das Blocken von Angriffen mit dem Schild schützt vor dem Hungereffekt, und ein vernünftiges Schwert sollte selbst einem gut gerüsteten Wüstenzombie leicht den Garaus machen.

MAGMAWÜRFEL

Heißblütige Kreatur, die es in drei brandheißen Größen gibt	1/4/16	3/4/6	–

Drops

  1-4 EP

Beängstigend, sich vorzustellen, man bezwingt einen Feind, nur damit er sich daraufhin in viele kleinere Versionen seiner selbst aufspaltet! Der Magmawürfel ist so ein Monster: Wird er niedergestreckt, teilt sich der große Würfel in zwei bis vier mittlere Würfel, die sich wiederum in zwei bis vier kleine Versionen aufspalten.

Sie können dir nur im Nahkampf Schaden zufügen, aber sie sind doppelt so schnell wie die meisten anderen Monster, springen gern in die Höhe und versuchen, dich bei der Landung plattzumachen. Zum Glück sind sie nur im Nether anzutreffen.

KAMPFTAKTIK

Magmawürfel sind resistent gegen Fall- und Feuerschaden, außerdem sind sie schnell und unberechenbar. Sie können dir keinen Schaden zufügen, solange sie nicht auf dir landen. Bau dir also einen kleinen Schutzverschlag mit einer einen Block großen Lücke in jeder Wand und im Dach. Dann beschießt du sie jedes Mal mit Pfeil und Bogen, wenn sie versuchen, auf dich zu springen.

PHANTOM

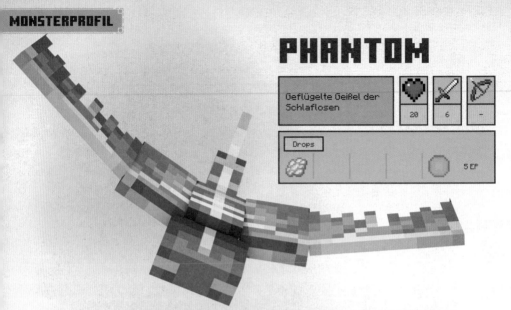

Geflügelte Geißel der
Schlaflosen

❤ 20	⚔ 6	🏹 –

Drops			
🪙			◯ 5 EP

Jeder Kämpfer braucht seinen Schlaf – er regeneriert deine Gesundheit, lässt dich Bizarres träumen und hält das schaurige Phantom davon ab, über dich herzufallen. Ja, das Phantom erscheint nur nachts, wenn du an drei aufeinanderfolgenden Tagen im Spiel nicht geschlafen hast!

Phantome erscheinen in Gruppen von bis zu vier Exemplaren, ziehen am Himmel ihre Kreise und stürzen in regelmäßigen Abständen auf dich herab. Die Lebensenergie des Phantoms entspricht der eines gewöhnlichen Zombies, aber seine Angriffe sind doppelt so brutal. Ein ganzer Schwarm von ihnen kann also durchaus zum Problem werden.

KAMPFTAKTIK

Phantome erleiden Schaden wie andere untote Kreaturen auch. Ein Schwert mit der Verzauberung „Peinigung" erhöht den Schaden gegen sie, und du solltest deine Attacken so koordinieren, dass du triffst, wenn sie herabgestürzt kommen. Sie erleiden auch Schaden durch Sonnenlicht, du könntest also bis zum Morgen warten, dann verschwinden sie. Vielleicht solltest du das nächste Mal einfach etwas schlafen!

PIGLIN

Schweineartiges Volk mit einem Faible für Gold			
	16	9	4

Drops				
👕	🗡	⛏	⬡	5-17 EP

Manche halten Piglins für ein friedliebendes Volk. Diese Leute müssen wohl eine goldene Rüstung getragen haben – die Piglins lieben Gold. Hat man keine goldene Rüstung, zeigt sich der Piglin angriffslustig und verursacht mit seiner Nahkampfattacke großen Schaden. Außerdem hasst er es, wenn man bestimmte Erze abbaut oder Truhen öffnet.

KAMPFTAKTIK

Piglins mögen also Gold, aber wie sieht es mit Eisen aus? Teste diese Theorie, indem du einen Eisengolem baust. Der Piglin wird den Golem nicht sofort angreifen, vermutlich muss er erst entscheiden, ob er dieses Metall auch mag. Der Golem jedoch wird den Piglin angreifen. Beim Bauen solltest du jedenfalls unbedingt eine Goldrüstung tragen, sonst greift der Piglin dich trotzdem an.

ZOMBIE-PIGLIN

Von den Toten auf- erwecktes Schweine- volk aus dem Nether	❤	🗡	🏹
	20	8	4

Drops						
🥩	⚬	🥔	🎋	📦	⛏	⬡ 5-12 EP

Diese zombieähnlichen Piglins erscheinen im Nether, oder sie entstehen, wenn ein Piglin oder ein Piglin-Grobian eine andere Dimension betritt, oder wenn ein Schwein vom Blitz getroffen wird! Sie sind neutral, bis sie angegriffen werden – dann schlagen sie mit einem Goldschwert zurück!

KAMPFTAKTIK

„Peinigung" wirkt bei einem Zombie-Piglin genauso gut wie bei anderen Untoten, allerdings hat diese Kreatur die Unart, alle Artgenossen in einem großen Radius herbeizurufen. Am besten ist, sie überhaupt nicht anzugreifen. Befülle stattdessen einen Spender mit geworfenen Tränken der Heilung und platziere davor eine Druckplatte, damit die Piglins in ihr eigenes Verderben rennen!

PIGLIN-GROBIAN

Aufgemotzte Version des Piglins	❤️ 50	⚔️ 10	🏹 –

Drops

🔨   ⬡   20 EP

Als ob der Piglin nicht schon nervig genug wäre, haben manche von ihnen wohl Gewichte gestemmt und sich zu muskelbepackten Grobianen gemausert. Zum Glück halten sie sich nur in Bastionsruinen auf, dann aber schwingen sie gerne eine verzauberte Goldaxt – darauf musst du dich also einstellen.

Ihre Attacken sind schlagkräftiger als die von Piglins, und sie stecken auch mehr Schaden ein. Wie Piglins greifen sie Wither und Witherskelette in Sichtweise an, goldene Gegenstände hingegen üben auf sie keine so große Faszination aus.

KAMPFTAKTIK

Das Sprichwort besagt, der Feind deines Feindes ist dein Freund – schließe also am besten Freundschaft mit den Piglin-Grobianen, indem du einen Wither beschwörst und die Kreaturen dann gegeneinander ausspielst. Im Optimalfall sind die Grobiane nach dem Kampf Geschichte und der Wither so sehr geschwächt, dass du ihm nur noch den Todesstoß versetzen musst. Und falls es nicht so gut läuft … tja … dann sieh auf Seite 60 nach.

PLÜNDERER

Verbreitet mit seiner Armbrust bei Überfällen Angst und Schrecken			
	24	3	4

Drops

   5-20 EP

Plünderer sind eine echte Bedrohung – man stößt auf sie bei Außenposten oder wenn sie Dörfer überfallen. Sie greifen Unschuldige mit Armbrüsten an und verfolgen Ziele in bis zu 64 Blöcken Entfernung! Handelt es sich um einen Räuberhauptmann, können sie den Spieler auch mit dem Effekt „Böses Omen" belegen, der einen Überfall auf das nächste Dorf auslöst, das der betroffene Spieler betritt.

KAMPFTAKTIK

Plünderer sind gute Armbrustschützen, aber du bist besser: Bestücke deine Armbrust mit Feuerwerksraketen, um ihre Angriffe explosiv zu kontern! Jeder Feuerwerksstern, den du bei der Herstellung einer Feuerwerksrakete verwendest, erhöht ihren Schaden, sodass du mit einem einzigen Raketenvolltreffer bis zu 18 Punkte Schaden verursachen kannst.

VERWÜSTER

Gehörnter Vierbeiner mit zerstörerischem Sturmangriff			
	100	12	6

Drops

 20 EP

Oft sieht man Plünderer auf ihnen reiten, doch Verwüster sind auch für sich schon gefährlich genug. Sie erscheinen bei Überfällen und rammen Spieler, Dorfbewohner und andere freundliche Kreaturen mit ihren Sturmattacken und zertrampeln alle Pflanzen, die ihnen dabei im Weg stehen. Sie haben extrem viel Lebensenergie.

KAMPFTAKTIK

Es mag nicht logisch erscheinen, aber du kannst den Angriff eines Verwüsters mit einem Schild blocken, damit Schaden vermeiden und den Rückstoß vermindern. Das Blocken kann den Verwüster auch kurz betäuben und dir die Chance geben, auf ihn einzuschlagen, bevor er zu sich kommt. Wenn er wieder einsatzbereit ist, kann er dir mit seinem Gebrüll Schaden zufügen, bleib also nicht zu lange in der Nähe.

SHULKER

Neugieriges im Ende beheimatetes „Schalentier"			
	30	–	4

Drops

      ◯   5 EP

Dieses scheue kleine Monster kannst du in Endsiedlungen erspähen, getarnt zwischen den fürs Ende typischen Purpurblöcken. Es bleibt versteckt, bis du in Reichweite kommst, öffnet dann seine Hülle und feuert langsame, zielsuchende Projektile ab. Die Geschosse fügen dir geringen Schaden zu und lassen dich schweben!

Die Geschosse kannst du mit einer Waffe auf den Shulker zurückschleudern oder mit einem Schild blocken. Ist seine Hülle geschlossen, erleidet der Shulker dank hohem Rüstungswert nur stark verminderten Schaden. Wird er verletzt, versucht er manchmal, sich in Sicherheit zu teleportieren.

KAMPFTAKTIK

Es kann schwierig sein, mit Shulkern in den engen Türmen im Ende, in denen sie gerne hausen, fertigzuwerden, besonders dann, wenn du von „Schwebekraft" betroffen bist. Mach die Türme für sie unbewohnbar, indem du Türen und Lücken mit Blöcken füllst und dann die Gänge mit einem Lavaeimer flutest. Das wird sie dazu bringen, sich in einen leeren Raum in der Nähe zu teleportieren – oder sie werden ertrinken, wenn es keinen gibt. Haben sie ein Plätzchen gefunden, dann weiche geduldig ihren Projektilen aus und setze sie mit gezielten Armbrustschüssen außer Gefecht.

SKELETT

Knochige Gesellen mit Pfeil und Bogen, die fast überall zu finden sind			
	20	2,5	4

Drops

5-8 EP

Vorsicht in düsteren Bereichen: Dort sind Skelette wahrscheinlich nicht weit. Sie haben stets einen Bogen und benutzen manchmal getränkte Pfeile. Es besteht die Chance, dass sie auch Rüstungsteile tragen. Sie umkreisen ihre Ziele, um nicht getroffen zu werden, aber sonst versuchen sie nicht, Angriffen auszuweichen.

KAMPFTAKTIK

Dass sie nur aus Knochen bestehen, hat seine Vor- und Nachteile: Skelette können zwar nicht ertrinken, dafür sind sie unwiderstehlich für Wölfe. Wenn du gezähmte Wölfe freilässt, greifen sie Skelette an und verjagen sie. Bleib aber unbedingt in der Nähe und beschütze deine treuen Begleiter, da die Skelette zurückschlagen, sobald sie Schaden erleiden.

SKELETTPFERD

Gaulgerippe, das blitzartig auf der Bildfläche erscheint			
	15	–	–

Drops

8-11 EP

Es besteht die geringe Chance, dass ein Blitzschlag ein Skelettpferd mit Reiter herbeibeschwört. Dabei reitet das sonst so schlichte Skelett nun auf einem knochigen Ross und führt einen verzauberten Bogen! Das Pferd ist viel schneller als sein hagerer Reiter, daher ist es schwerer zu treffen, auch wenn es dafür etwas schwächer ist.

KAMPFTAKTIK

Am einfachsten erledigst du einen Skelettreiter, indem du Reiter und Pferd separat ausschaltest. Nimm zuerst das klapprige Pferd aufs Korn – entweder mit einem Bogen oder einer Armbrust – um den Reiter hinunterzustoßen und ihn dann allein zu erledigen. Auf diese Weise musst du dich nicht mit den flinken Bewegungen oder der cleveren Verteidigungstaktik des untoten Pferdes herumschlagen.

SILBERFISCHCHEN

Lästiges Ungeziefer, das gewöhnliche Steine befällt			
	8	1	–

Drops

 5 EP

Beim Abbau von Blöcken, die aussehen wie Stein, ist Vorsicht geboten: Manchmal kriechen daraus Silberfischchen hervor. Das Silberfischchen ist nicht mehr als ein Ärgernis, wie auch die Endermilbe: Sein Angriffsschaden ist gering und es hat nur wenig Lebensenergie, allerdings kann es weitere Silberfischchen zu Hilfe rufen.

KAMPFTAKTIK

Es ist wichtig, das Silberfischchen mit einem einzigen Schlag auszuschalten. Wenn es verwundet ist, ruft es nämlich Verbündete herbei, und du wirst womöglich überrannt. Wie bei anderen Insekten auch hilft hier die Verzauberung „Nemesis der Gliederfüßer". Aber auch eine Netherit-Axt, ein Diamantschwert oder ein Dreizack sind in der Lage, ein Silberfischchen mit einem einzigen Schlag zu erledigen.

SCHLEIM

Sprunghafter Schrecken der Oberwelt			
	1/4/16	0/2/4	–

Drops

 1-4 EP

Der Schleim ist ein weiteres Monster, das sich in kleinere Varianten aufspaltet und doppelt so schnell angreift wie die meisten anderen aggressiven Bestien. Diese gallertartige Kreatur hüpft unbekümmert in der Oberwelt umher, bis sie einen Spieler sieht. Wie auch ein Magmawürfel wird der Schleim versuchen, auf dich zu springen und dich plattzumachen.

KAMPFTAKTIK

Schleime können dich schnell überwältigen, sobald sie sich in die kleineren Varianten aufteilen und zunehmend in der Überzahl sind. Flächenschaden ist der beste Weg, um mit dem Schleimschwarm umzugehen: Schleudere Wurf- oder Verweiltränke des Schadens auf das glibberige Gewusel, um allen auf einmal Schaden zuzufügen und so die Oberhand zu gewinnen.

SPINNE

Lästiges Krabbeltier, das vom Boden und von der Decke aus angreift

❤	⚔	🏹
16	2	–

Drops

5 EP

Die Spinne krabbelt ungehindert durch die Oberwelt. Triffst du sie bei Tageslicht, verhält sie sich passiv, es sei denn, du greifst sie an. Wenn die Sonne untergeht, wird sie jedoch sofort aggressiv und klettert sogar an steilen Wänden hoch, um ihr Ziel anzugreifen!

KAMPFTAKTIK

Spinnen sind schnell und wendig, und Spinnennetze bremsen sie nicht aus. Die Verzauberung „Nemesis der Gliederfüßer" erhöht deinen Schaden gegen Spinnen und belegt sie zusätzlich mit einem hochstufigen Langsamkeitseffekt. Eine gute Axt mit dieser Verzauberung bringt eine Spinne mit nur wenigen Hieben zur Strecke.

HÖHLENSPINNE

Achtbeiniger Untergrundbewohner

❤	⚔	🏹
12	2	–

Drops

5 EP

Nicht noch so eine! Der blaue Farbton dieses Krabbeltiers hebt es von der normalen Variante ab. Die Höhlenspinne erscheint nur in Minen, ist bei hellem Licht auch passiv, ansonsten jedoch aggressiv. Sie kann ihr Ziel vergiften und ihm so Schaden über Zeit zufügen.

KAMPFTAKTIK

Es empfiehlt sich, ihrem giftigen Biss aus dem Weg zu gehen. Auch wenn „Nemesis der Gliederfüßer" helfen kann, solltest du dich eigentlich gar nicht in den Nahkampf begeben. Sei stattdessen geduldig und greife auf Distanz mit einer Armbrust an. Die Höhlenspinne hat weniger Lebensenergie als eine normale Spinne – ein paar Schüsse sollten also ausreichen, um diesen Krabbler auszuschalten.

SPINNENREITER

Albtraumhafte Verschmelzung zweier unheilvoller Monster	❤️ 32/36	🗡️ 2	🏹 4

Drops

 5 EP

Es kann passieren, dass Skelette auf Spinnen oder Höhlenspinnen reiten – jeweils mit eigener Lebensenergie und Angriffen. Erscheint ein Spinnenreiter in einer verschneiten Tundra oder deren Varianten, kann der Reiter auch ein Streuner sein, im Nether gar ein Witherskelett!

KAMPFTAKTIK

„Teile und herrsche!" Die Spinne ist der schwächere Teil des Duos, also versuche, sie zuerst auszuschalten. Halte Abstand, um dem Reiter kein leichtes Ziel zu bieten, nimm eine mit „Mehrfachschuss" oder „Durchbohren" verzauberte Armbrust in den Anschlag und schalte das Reittier aus. Anschließend kannst du mit dem Skelett verfahren wie mit jedem anderen auch.

STREUNER

Frostige Feinde, die dich mächtig verlangsamen können	❤️ 20	🗡️ 2	🏹 5

Drops

5 EP

Als ob das raue Klima der verschneiten Tundra nicht schon hart genug wäre, lauern dort auch noch eisige Skelette auf dich. Sie sind mit ihrem Bogen so gefährlich wie normale Skelette, belegen dich aber zusätzlich noch mit dem Effekt „Langsamkeit" und reduzieren so deine Laufgeschwindigkeit, was dir die Flucht erschwert.

KAMPFTAKTIK

Wenn du von „Langsamkeit" betroffen bist, hast du womöglich ein Problem, da du nicht mehr an den Streuner herankommst, um ihn niederzustrecken. Ein Dreizack kann sich hier als nützlich erweisen: Ist er mit „Sog" verzaubert, katapultiert er dich beim Werfen vorwärts – allerdings nur bei Regen oder im Wasser. Noch besser ist es, du verzauberst ihn mit „Treue", dann kehrt der Dreizack nach jedem Wurf zu dir zurück.

DIENER

 Axtschwingende Wäch-
ter von Waldanwesen

24   13   –

 Drops

       5-8 EP

Der Diener ist der Berserker unter den Illagern: Er stürzt sich mit ausgetreckten Armen und Axt voraus in die Schlacht. Befindet er sich nicht im Kampf, verschränkt er jedoch verschlagen seine Arme, genau wie die Dorfbewohner, die er so gerne angreift. Diener findest du in Waldanwesen und als Teil einer Illager-Patrouille oder eines Überfalls.

Ihre Axthiebe sind gewaltig, insbesondere wenn sie mit einer verzauberten Axt aufgetaucht sind! Hüte dich besonders vor Dienern namens Johnny: Sie sind bekannt dafür, alle anderen Kreaturen anzugreifen, außer andere Illager und Ghasts.

KAMPFTAKTIK

Ihr schlagkräftiger Axtangriff und die Tatsache, dass sie oft auf Verwüstern reiten, legen es nahe, am besten aus der Distanz gegen sie zu kämpfen. Verzaubere einen Bogen mit einer Kombination aus „Schlag", „Flamme" und „Unendlichkeit", um einen endlosen Vorrat an Pfeilen zu haben, die den Diener gleichzeitig in Brand setzen und auf Abstand halten, damit er dir keinen Schaden zufügen kann.

HEXE

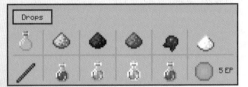

Horrorhexe mit einem Arsenal an Offensivgebräuen	26	–	6

Drops

5 EP

Bei einem Ausflug in einen Sumpf wirst du dein blaues Wunder erleben: Dort hausen Hexen, die mit Tränken um sich werfen! Diese bösartigen Magierinnen brauen geworfene Tränke, die sie auf alle Abenteurer schleudern, die sich ihren Hütten nähern. Man sieht sie auch jenseits von Sümpfen herumstreifen und Unheil über die ganze Welt bringen.

Wenn du sie besiegst, hinterlassen sie wertvolle Brauzutaten, aber solange sie noch leben, können sie mit ihren geheimnisvollen Gebräuen Statuseffekte wie „Vergiftung", „Langsamkeit" und „Schwäche" bewirken sowie Schaden verursachen.

KAMPFTAKTIK

Die Hexe hat auch Heiltränke im Gepäck, du bringst sie also besser schnell zur Strecke. Wenn du dich ihr näherst, benutzt die Hexe entweder einen geworfenen Trank der Schwäche oder des Schadens, aber mit einem guten Schwert oder einer Axt, jeweils mit „Schärfe" verzaubert, solltest du in der Lage sein, sie zu besiegen, bevor sie einen zweiten Trank werfen kann.

WITHERSKELETT

Verkohlter, knochiger
Bewohner des
Nethers

| 20 | 8 | – |

Drops

 5-17 EP

Auf den ersten Blick mag das Witherskelett anmuten wie eine dunkle, düstere Variante seines Gegenstücks aus der Oberwelt, mit gleicher Lebensenergie und einem einfachen Schwert.

Allerdings hat dieses sinistre Skelett einen Nahkampfangriff, der dramatisch stärker ist! Und nicht nur das: Es fügt dem Spieler den Statuseffekt „Ausdörrung" zu, der ihn Schaden über Zeit erleiden lässt. Glücklicherweise taucht es nur in Netherfestungen auf, sodass du ihm nicht begegnen wirst, wenn du dich von diesen Bauwerken fernhältst.

KAMPFTAKTIK

Das Witherskelett ist gegen allerlei Effekte immun: „Vergiftung" und „Ausdörrung" zeigen keine Wirkung bei ihm, ebenso wenig wie Feuer, Sonnenlicht oder Lava – und ertrinken kann es auch nicht. Aber ein Schwerthieb? Der tut, was er soll! Verzaubere deine Waffe mit „Peinigung", um diesem untoten Monster zusätzlichen Schaden zuzufügen, und blocke seine Schläge mit einem Schild.

ZOMBIE

Gewöhnlicher fleisch-
hungriger Jäger

20	3	–

Drops

      5-8 EP

Wenn du nachts ein Stöhnen außerhalb deiner
Basis hörst, ist das wahrscheinlich ein Zombie.
Diese untoten Monster können sogar Holztüren
aufbrechen und in deine Basis eindringen. Sie
erscheinen regelmäßig bei Sonnenuntergang
und suchen sich Schatten, wenn die Sonne auf-
geht, da sie sonst verbrennen.

Sie rufen Verstärkung aus großer Entfernung
herbei, wenn sie angegriffen werden, und können dich im Pulk schnell überrennen. Allein sind
sie nicht allzu gefährlich – sie haben durch-
schnittlich viel Lebensenergie und greifen meist
unbewaffnet an, können jedoch Waffen und Rüstungen aufheben und anlegen!

KAMPFTAKTIK

Zombies sollten kein großes Problem darstellen. Du kannst die Nacht durchschlafen –
wenn sie nicht zu nahe sind –, erfrischt aufwachen und die Sonne den Rest erledigen
lassen. Wenn sie dich am Schlafen hindern oder sich im Schatten verstecken, schleudere geworfene Tränke der Heilung nach draußen, um sie zu vertreiben und weitere davon
abzuhalten, dir einen Besuch abzustatten.

ZOMBIEKIND

Hinreißende – und doch bösartige – untote Kreaturen			
	20	3	–

Drops

    — 12 EP

Klein, aber gemein! Lass dich von ihrer Größe nicht täuschen: Nicht nur, dass Lebensenergie und Angriffskraft der Zombiekinder denen der Erwachsenen entsprechen, sie sind auch noch viel schneller, weshalb ihnen so schwer beizukommen ist. Zum Glück sind sie jedoch ebenfalls anfällig für Heilung und Sonnenlicht.

KAMPFTAKTIK

Ein kleiner Zombie bedeutet eine kleine Angriffsfläche. Auch die hohe Laufgeschwindigkeit kann beim Kampf problematisch sein. Du kannst versuchen, die Kleinen mit einer Armbrust auszuschalten, aber einfacher ist ein Angriff mit einem Schwert. Mit geworfenen Tränken der Heilung verursachst du Schaden – auch ohne absolut zielsicher zu sein – und ein Trank der Geschwindigkeit lässt dich mit den kleinen Schrecken Schritt halten.

ZOMBIE-DORFBEWOHNER

Unschuldiger, den Untoten zum Opfer gefallener Dörfler			
	20	3	–

Drops

       — 5–8 EP

Wenn ein Dorf von Zombies überrannt wird, können die armen Bewohner in Mitglieder der Untotenlegion verwandelt werden. Zombie-Dorfbewohner ähneln den normalen Dorfbewohnern und behalten sogar die Kleidung, die sie in ihrem früheren Leben getragen haben, allerdings verrät sie die grüne Haut als Zombiekreaturen.

KAMPFTAKTIK

Alle normalen Taktiken gegen Untote funktionieren ebenso gegen Zombie-Dorfbewohner, es gibt aber auch ein gewaltfreies Mittel: Du heilst sie einfach vom Zombietum! Zuerst verpasst du ihnen per geworfenem Trank oder getränktem Pfeil den Statuseffekt „Schwäche". Sobald der Effekt aktiv ist, musst du sie mit goldenen Äpfeln füttern und warten, bis die Rückverwandlung stattfindet. Pazifismus funktioniert also auch!

WITHER

Dreiköpfiger Schrecken, den nur die Törichten oder Mutigen beschwören	600	15	8

Bisher hast du deine Klingen an Skeletten, Creepern und Zombies geschärft, doch nun ist es Zeit für den ersten Endgegner: den grässlichen Wither! Diese gigantische Bestie erscheint nicht von allein, du musst sie selbst erschaffen. Wenn du bereit für eine epische Herausforderung bist oder einen Netherstern in die Finger bekommen willst, dann nur zu! Sorge auf jeden Fall dafür, dass all deine Waffen optimal vorbereitet sind!

Drops		
◈	⬡	50 EP

BESCHWÖRUNG

Baue – wie bei der Erschaffung von Eisen- oder Schneegolems – eine T-Form aus Seelensand oder Seelenerde und setze dann drei Witherskelettschädel auf die oberen drei Blöcke.

Sobald der dritte Schädel an seinem Platz ist, erwacht die gebaute Figur zum Leben, leuchtet blau und bleibt zunächst unverwundbar. Nach einer gewaltigen Explosion beginnt sie jedoch, aktiv anzugreifen.

ANGRIFFE

Der Hauptangriff des Withers besteht darin, explosive Schädel auf dich zu schießen! Die blauen sind langsamer als die schwarzen, richten aber mehr Zerstörung an – dir fügen sie jedoch den gleichen Schaden zu. Wirst du getroffen, erleidest du den Statuseffekt „Ausdörrung II", der dich kontinuierlich Lebensenergie kostet.

Sobald du dem Wither die Hälfte seiner Lebensenergie abgezogen hast, erzeugt er eine weitere riesige Explosion und einen Schutzschild. Außerdem beschwört er drei oder vier Witherskelette und geht zu einem Sturmangriff über, bei dem er auf dich zuprescht und Schädel wirft. Der Ansturm ist gefährlich, halte also unbedingt Abstand.

KAMPFTAKTIK

Der Wither hat extrem viel Lebensenergie und ist immun gegen Feuer, Lava und Ertrinken. Allerdings ist er untot, hat also auch diverse Schwachstellen. Er greift übrigens auch viele andere Kreaturen an, die beim Ableben schädliche Wither-Rosen hinterlassen – also Vorsicht!

Baue an verschiedenen Stellen Eisengolems, die den Wither ablenken oder ihm Schaden zufügen, wenn er nah genug ist. Wenn er herumfliegt, greifst du ihn am besten mit einer Fernkampfwaffe an – besonders nützlich könnte hier eine mit „Schnellladen" und „Mehrfachschuss" verzauberte Armbrust sein. Verschieße getränkte Pfeile der Heilung, um ihm ordentlich Lebensenergie abzuziehen.

Wenn der Wither auf dich zustürmt, halte dein mit „Peinigung" verzaubertes Schwert bereit, weiche aus und schlage dabei auf ihn ein. Wenn du getroffen wirst, benutze einen Milcheimer, um dich von der „Ausdörrung" zu befreien, bevor sie zum Problem wird. Sei geduldig und wiederhole diese Schritte, dann hast du nach einem anstrengenden Kampf schon bald die Welt vom Wither befreit.

ENDER-DRACHE

Dieser Drache verbreitet im Ende Angst und Schrecken	♥ 200	⚔ 10	🏹 6

Drops

⬤ ⬡ 12.000 EP

Die letzte Herausforderung, auf die du mit jedem bisherigen Schritt hingearbeitet hast – der Enderdrache! Dieser tiefschwarze fliegende Schrecken wartet auf der anderen Seite eines Endportals auf dich und wird dich auf die schwerste und kniffligste Bewährungsprobe aller drei Dimensionen stellen. Der Enderdrache hat nicht so viel Lebensenergie wie der Wither, aber der Kampf gegen ihn ist viel frustrierender!

DRACHENJÄGER

Sobald du das Endportal durchschritten hast, findest du dich auf oder in der Nähe einer kleinen Obsidianplattform nahe der zentralen Endinsel wieder, wo das gigantische geflügelte Biest kreist und auf seinen nächsten Herausforderer wartet. Du wirst einige große Obsidiansäulen sehen, auf deren Spitzen Enderkristalle sitzen. Der dunkle Drache nutzt diese, um sich zu heilen, wenn er im Kampf verletzt wird.

IDEALE AUSRÜSTUNG

Bevor wir uns mit der Taktik gegen den Enderdrachen beschäftigen, hier eine Zusammenstellung empfohlener Ausrüstungsgegenstände, die manche seiner Angriffe unwirksam machen und dein Schadenspotenzial maximieren.

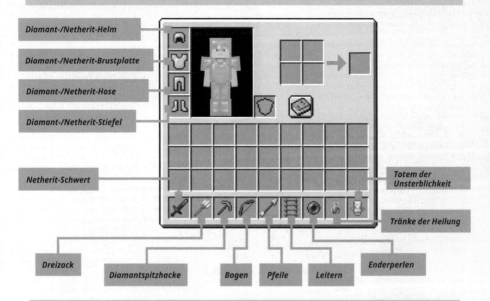

Diamant-/Netherit-Helm

Diamant-/Netherit-Brustplatte

Diamant-/Netherit-Hose

Diamant-/Netherit-Stiefel

Netherit-Schwert

Totem der Unsterblichkeit

Tränke der Heilung

Dreizack

Diamantspitzhacke

Bogen

Pfeile

Leitern

Enderperlen

ANGRIFFE

Der Enderdrache hat drei Angriffe, die er gegen dich einsetzen kann.

Wenn du einen Enderkristall zerstörst, hört er auf zu kreisen und schießt im Sturzflug eine Feuerkugel auf dich ab. Diese kann nicht zurückgeschlagen werden und verursacht an der Einschlagstelle eine anhaltende Schadenswolke.

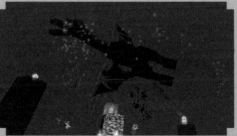

Manchmal legt der Drache eine Pause auf oder über dem Endbrunnen ein und entfesselt von dort seinen Drachenatem, der eine dicke lila Partikelwolke erzeugt, die allen Kreaturen, die sich darin aufhalten, Schaden zufügt.

Am gefährlichsten ist der mächtige Nahkampfangriff des Drachen, bei dem er im Sturzflug auf dich zukommt und dich so hoch in die Luft schleudert, dass dich der Fallschaden allein schon töten kann. Der Angriff verursacht doppelt so viel Schaden, wenn der Drache dich mit dem Kopf und nicht dem Körper trifft.

HEILUNGSVERMEIDUNG

Der Enderdrache ist nicht nur gefährlich, er ist auch äußerst schlau. Die Enderkristalle auf den Obsidiansäulen heilen ihn automatisch, sobald er sich in deren Nähe begibt. Du solltest so viele wie möglich zerstören, bevor du den Drachen angreifst, sonst werden all deine Bemühungen vergeblich sein.

Wenn du einen Kristall zerstörst, wird dabei eine Explosion ausgelöst, die auch dem Enderdrachen Schaden zufügt, wenn er sich gerade heilt – zerstöre die Kristalle also am besten aus sicherer Entfernung. Das ist jedoch nicht immer möglich, da manche von Käfigen geschützt sind, die erst abgebaut werden müssen. Nutze Leitern oder Enderperlen, um die Eisengitter zu erreichen, zerstöre sie mit einer Spitzhacke und kehre auf den Boden zurück, um den Kristall zu zerstören.

KAMPFTAKTIK

Der Enderdrache ist immun gegen alle Statuseffekte und kreist schnell über der Insel. Mit einem Bogen anzugreifen, gestaltet sich aufgrund der Geschwindigkeit des Drachen schwierig, ist aber möglich. An seinem Kopf erleidet er viermal so viel Schaden wie an jedem anderen Körperteil, ziele also auf seiner Flugbahn auf eine Stelle direkt vor ihm, um dein Schadenspotenzial zu maximieren.

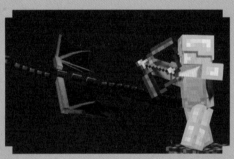

Wenn der Drache verharrt, fügen ihm Pfeile keinen Schaden zu, wechsle also zu einem Dreizack, der mit „Treue" verzaubert ist, und bewirf den Drachen, bis er weiterfliegt. Wenn er auf dich herabstürzt, schlage mit einem Netherit-Schwert zu. Du wirst wahrscheinlich etwas Schaden nehmen und womöglich in die Luft geschleudert. Wirf eine Enderperle auf den Boden, um sicher zu landen, und heile dich, bevor der Drache wieder angreifen kann.

DROPS

Wenn du den Enderdrachen zum ersten Mal besiegst, erhältst du satte 12.000 Erfahrungspunkte! Sieh dir nur all diese Kugeln an! Außerdem aktivieren sich zwei Portale: Das Endportal im Endbrunnen, welches zurück in die Oberwelt führt, und das Endtransitportal, welches dich zu den unheimlichen äußeren Endinseln befördert.

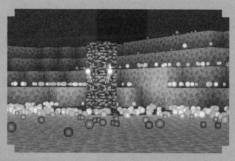

Auf dem Endbrunnen wartet deine wahre Belohnung: ein Drachenei. Es ist eine Trophäe, die beweist, dass du den mächtigsten Gegner in der Welt von Minecraft bezwungen hast. Natürlich ist es nicht so einfach einzusammeln, da es sich wegteleportiert, wenn man versucht, es abzubauen. Verschiebe das Drachenei stattdessen mit einem Kolben, wodurch es als Gegenstand droppt, der fortan einen Platz in deinem Trophäenschrank bekommen kann.

RUNDE 2?

War ein Kampf nicht genug? Manche Spieler stellen sich gerne unter Beweis, indem sie den Drachen immer wieder neu zum Kampf herausfordern. Dies ist auch der einzige Weg, um Drachenatem zu erhalten, der zum Brauen von Verweiltränken benötigt wird.

Um den Enderdrachen erneut zu beschwören, musst du vier Enderkristalle um den Endbrunnen platzieren. Damit kannst Du das Schlachtfeld deaktivieren und für einen erneuten Kampf zurücksetzen. Für den Sieg über einen erneut beschworenen Enderdrachen erhältst du nur noch 500 Erfahrungspunkte.

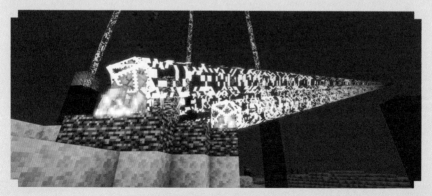

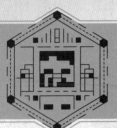

HILFREICHE KREA-TUREN

FUCHS

Füttere einen Fuchs mit sü-
ßen Beeren, um sein Vertrau-
en zu gewinnen und fortan
einen niedlichen Begleiter zu
haben. Ein gezähmter Fuchs
folgt dem Spieler und kann
auch angeleint werden. Er stürzt sich auf die
meisten feindlichen Kreaturen, die den Spieler
angreifen.

20 | **2**

PFERD

15-30 | 0

Diese Nutztiere können dich in
den Kampf tragen oder dein
Vorankommen beschleunigen.
Um ein Pferd zu zähmen,
musst du so lange aufsteigen, bis du nicht mehr abge-
worfen wirst. Du kannst ein Pferd mit einem
Sattel und einer Pferderüstung ausstatten, um
es kampfbereit zu machen.

EISENGOLEM

100 | 21,5

Einen Eisengolem ist ein
monstervernichtender Held,
den du bei Bedarf beschwören kannst. Er kann aus vier
Eisenblöcken und einem
Kürbis (oder seinen Varian-
ten) erschaffen werden. Er greift die meisten
feindlichen und neutralen Kreaturen an,
außer Creeper und Wölfe.

LAMA

15-30 | 1

Das Lama ist ein laufendes,
spuckendes Gegenstandsla-
ger. Gezähmte Lamas kannst
du mit einer Truhe ausstatten
und an einer Leine führen,
damit du stets deine Ressourcen zur Hand hast. Andere Lamas können
einem gezähmten Lama folgen und eine Kara-
wane bilden.

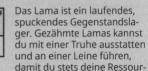

Nicht jede Kreatur, der du begegnest, hat es auf dich abgesehen. Es gibt sogar einige, die dir helfen können – sei es, dass sie dich auf ihrem Rücken in den Kampf tragen, sie dein überquellendes Inventar transportieren oder dir im Kampf den Rücken stärken. Mach auf diesen Seiten Bekanntschaft mit ein paar der netteren Kreaturen.

KATZE

| 10 | 3 |

Katzen interessieren sich nur selten so sehr für Menschen wie die Menschen für sie, aber wenn sie zufällig um dich herumstreifen, schrecken sie Creeper und Phantome für dich ab! Halte sie nur fern von Hühnern, Kaninchen und Meeresschildkrötenjungtieren!

SCHNEEGOLEM

| 4 | 0 |

Du kannst einen Schneegolem aus zwei aufeinandergestapelten Schneeblöcken und einem Kürbis (oder seinen Varianten) erschaffen. Er wirft Schneebälle auf Kreaturen in der Nähe, auch wenn diese nicht aggressiv sind. Seine Schneebälle verursachen lediglich Rückstoß, Lohen fügt er jedoch Schaden zu.

SCHREITER

| 20 | 0 |

Es ist schön, ein freundliches – wenn auch unglückliches – Gesicht im Nether zu sehen. Schreiter können nicht gezähmt, jedoch gesattelt und geritten werden, sogar über Seen aus Lava. Du brauchst lediglich einen Wirrpilz auf einem Stock, um seine Bewegungen zu kontrollieren.

WOLF

| 20 | 4 |

Wölfe existieren in freier Wildbahn u. a. in Taiga-Biomen und reagieren feindselig, wenn sie angegriffen werden. Du kannst einen Wolf jedoch zähmen und ihm so ein schönes rotes Hundehalsband verpassen, indem du ihn mit Knochen fütterst. Dann greift er auf Kommando mit dir Kreaturen an.

SPIELER GEGEN SPIELER

Du hast also die Klingen mit den Monstern aus der Oberwelt, dem Ende und dem Nether gekreuzt, aber deine größte Herausforderung wartet noch auf dich ... der Kampf gegen andere Spieler. Lies weiter, um Taktiken für PvP-Kämpfe und verschiedene Spielstile kennenzulernen, die dich konkurrenzfähig machen. Lerne außerdem, wie du eine Arena baust, in der du beweisen kannst, dass du der wahre Champion bist!

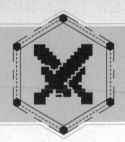

DIE GRÖSSTE HERAUSFORDERUNG

WAS IST PVP?

PvP steht für „Player versus Player" („Spieler gegen Spieler") und beschreibt jeden Spielmodus, bei dem du gegen einen oder mehrere echte Menschen und nicht die KI des Spiels (auch als PvE bekannt: „Player versus Environment"/„Spieler gegen Umgebung") antrittst. Ansonsten bleibt alles gleich. Du kämpfst weiter mit Schwertern und Pfeil und Bogen – nur eben gegen andere Spieler!

MUSS ICH GEGEN MEINE FREUNDE KÄMPFEN?

Wenn du willst, kannst du das tun, aber es gibt auch Mehrspieler-Modi, bei denen es nicht ums Kämpfen geht. So gibt es z. B. Hindernisparcours-Rennen oder Elytren-Strecken, die deine Flugfähigkeiten auf die Probe stellen, oder Bogenschieß-Minispiele, bei denen deine Treffsicherheit gefragt ist. Es gibt Dutzende solcher Spielmodi, also probiere einfach aus, was dir gefällt.

ES HEISST ALSO, ICH GEGEN DEN REST DER WELT?

Nicht unbedingt – es kommt darauf an, welchen Modus du wählst. Die meisten lassen sich auch in Teams spielen. Anstatt in einem Kampf einer gegen einen anzutreten, könntest du stattdessen Dreierteams bilden. Oder dein Hindernisparcours ist ein Staffellauf, bei dem die Zeiten der Spieler addiert werden, um zu sehen, welches Team am schnellsten ist.

Nicht einmal der beste Programmierer kann Monstern eine KI verpassen, die es mit dem Grips eines Menschen aufnehmen kann (zumindest noch nicht), weshalb sich viele Spieler auf der Suche nach einer größeren Herausforderung PvP-Modi zuwenden. Wenn du bereit bist, gemeinsames Bauen gegen Wettkämpfe zu tauschen, dann lies weiter über die Welt des PvP.

ICH BIN DABEI! WIE KANN ICH AN EINEM PVP-SPIEL TEILNEHMEN?

Eine sehr gute Frage – das Wichtigste dabei ist, dass du in JEDER Welt ein PvP-Spiel einrichten kannst. Alles, was du dazu brauchst, sind andere Spieler! Dir stehen beim Einrichten oder Beitreten eines Multiplayer-Spiels diverse Einstellungsmöglichkeiten zur Verfügung. Auf den nächsten Seiten werden wir dir einige davon für die Bedrock Edition vorstellen. Weitere Infos findest du auf help.minecraft.net

EIN SPIEL EIN-RICHTEN

DEINE WELT, DEINE REGELN

Wenn du eine Welt erstellst, kannst du durch diverse Einstellungen Einfluss auf die generierte Welt nehmen. Du kannst auch die Einstellungen einer bestehenden Welt verändern, indem du das Bearbeiten-Symbol neben der Welt anklickst. Werfen wir einen Blick auf einige der Optionen, mit denen du bestimmen kannst, wie du und deine Freunde mit deiner Welt interagiert.

SPIELMODUS

Wähle zwischen Kreativ, Überleben und Abenteuer; Kreativ eignet sich für den Bau der Kampfschauplätze. Wechsle dann beim Spielen auf Überleben oder Abenteuer, um zu verhindern, dass bestimmte Elemente verändert werden können.

SPIELERBERECHTIGUNG NACH EINLADUNGSBEITRITT

Hier legst du fest, in welchem Maß andere Spieler mit einer Welt interagieren können. Für PvP solltest du „Mitglied" wählen, damit Spieler Blöcke zerstören sowie Kreaturen und andere Spieler angreifen können.

FRIENDLY FIRE

Hier wird es endlich interessant! Mit diesem Schalter bestimmst du, ob Spieler sich in deiner Welt gegenseitig Schaden zufügen können. Aktiviere ihn, wenn der Kampf losgehen soll!

KREATUREN-SPAWN

Wenn Kreaturen für das Spiel, das du erstellen möchtest, nicht relevant sind, können sie wegbleiben. Deaktiviere diesen Schalter, um zu verhindern, dass sie erscheinen.

Wenn deine Welt so weit ist und alle deine Freunde am Start sind, um gegeneinander anzutreten, fragst du dich vielleicht, wie du diese Welt nun in eine
PvP-Arena verwandelst. Hier sind ein paar kurze Tipps, damit du schnell
und problemlos loslegen kannst.

WER SPIELT MIT?

Im Multiplayer-Menü der Spieleinstellungen gibt es auch noch ein paar Dinge, die du beachten
musst. Vergewissere dich als Erstes, dass der Schalter „Multiplayer-Spiel" aktiviert ist –
sonst kann niemand deiner Welt beitreten!

Zweitens solltest du unter „Microsoft-Konto-Einstellungen" entweder „Nur Freunde" (nur
Personen, mit denen du auf diesem System befreundet bist, können beitreten) oder „Freunde
von Freunden" auswählen. Bei Letzterem können Freunde auch Personen mitbringen, die nicht
auf deiner Freundesliste stehen.

PVP-MINISPIELE

ARENA

Der einfachste PvP-Spielmodus ist eine schnörkellose Schlacht. Schnappe dir eine Waffe, lege eine Rüstung an und versuche, deinen Gegner niederzustrecken, bevor er das Gleiche mit dir macht! Interessanter wird die Sache, indem du mehr Freunde einlädst und ihr Teams bildet. Oder ihr beschließt, nur bestimmte Gegenstände im Inventar zuzulassen, um unterschiedliche Spielstile zu fördern (auf Seite 90 mehr dazu).

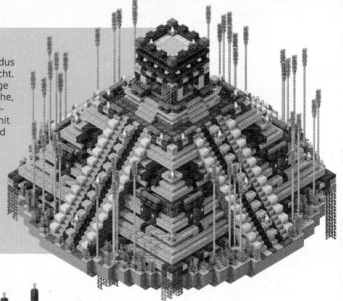

SPLEEF

Das Ziel bei Spleef ist es, der letzte Spieler zu sein, der auf einem Spielfeld durch verschiedene Ebenen mit zerstörbaren Blöcken fällt. Ihr müsst bei diesem Modus nicht zwingend gegeneinander kämpfen, da ihr ohnehin meistens auf die Blöcke unter den Füßen der Gegner zielt, um sie auf die nächste Ebene fallen zu lassen. Du kannst die Böden aus Wollblöcken bauen, damit sie leichter mit einem einzigen Treffer zu zerstören sind.

Endlich ist es an der Zeit, über die verschiedenen Arten von PvP-Spielen zu sprechen, die du in deiner Welt einrichten kannst. Ganz egal, ob du Lust auf Einzelkampf oder eine Teamschlacht hast oder deine Geschwindigkeit oder Intelligenz auf die Probe stellen willst, hier gibt es etwas für jeden.

ELYTREN-RENNEN

Schwing dich in die Lüfte mit nichts als einem Elytrenpaar auf dem Rücken und Feuerwerksraketen in der Hand, und versuche als Erster die Ziellinie einer Rennstrecke zu erreichen. Gleite geschickt durch die Ringe, die die Strecke vorgeben, und schieße dabei die Feuerwerksraketen ab, um mit waghalsigen Geschwindigkeiten durch die Lüfte zu düsen.

SCHIESSEN AUF SCHIENEN

Falls du kein Freund luftiger Höhen bist, ist ein Wettrennen auf Schienen vielleicht eher deins. Bei diesem Minispiel fährst du in einer Lore eine Strecke ab, die von Zielscheiben gesäumt ist! Teste bei dieser rasanten Fahrt deine Treffsicherheit: Gewinner ist derjenige, der als Erster all seine Ziele aktiviert hat. Nervenkitzel bis zum Schluss!

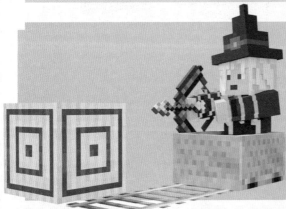

SKY WARS

Sky Wars ist ein Spielmodus für geduldigere PvPler, bei dem es mehr ums Bauen und Taktieren geht. Jeder Spieler bzw. jedes Team beginnt auf einer schwebenden Insel mit begrenzten Ressourcen und muss alles Nötige herstellen, um sich einen Weg zu anderen Inseln zu bauen und dort die Gegner zu bekämpfen und Ressourcen einzuheimsen. Oder man legt sich als Fallensteller auf die Lauer ...

TAKTIKEN FÜR DEN SIEG

SEI AUF ALLES VORBEREITET

Wenn du eine Arena betrittst, kannst du dir sicher sein, dass die anderen Spieler in voller Montur antreten und bis an die Zähne bewaffnet sind. Bereite also auch du dich bestmöglich auf den bevorstehenden Kampf vor. Es gibt nichts Schlimmeres, als ein PvP-Match zu starten, nur um plötzlich zu merken, dass man nur eine Ledertunika trägt und ein Holzschwert in der Hand hält.

DU HAST ES IN DER HAND

Du kannst dich mit Creepern und Zombies herumschlagen – mit Monstern, deren Aktionen vorhersehbar sind. Im PvP sieht die Sache anders aus: Deine Gegner werden unberechenbar sein, Dinge tun, die keinen Sinn ergeben, und unerbittlich angreifen. Die gute Nachricht ist: Was die können, kannst du auch!

KOMMUNIKATION

Du bist es wahrscheinlich gewohnt, dich mit anderen zu verständigen, wenn du eine Welt mit Freunden teilst – du bist also vielleicht bereits ein Teamwork-Profi. Beim PvP geht es allerdings oft viel hektischer zur Sache als beim Erstellen cooler Bauwerke. Schnell und effektiv zu kommunizieren ist ein Muss, damit während eines Kampfes alle am gleichen Strang ziehen.

Wir wissen, dass du mit Schwert und Axt umgehen kannst, aber vielleicht ist da ja ein Teil von dir, der sich vor der Welt des PvP ein wenig fürchtet? Keine Sorge, es gibt nichts zu fürchten – außer dem Dreizack, der auf dich zufliegt! Aber vielleicht helfen dir ja ein paar abschließende Profi-Tipps dabei, dich selbstsicher und gut vorbereitet ins Getümmel zu stürzen.

IMMER KRITISCH SEIN

Beim Kämpfen mit einer Nahkampfwaffe kannst du 50 % mehr Schaden verursachen, indem du beim Zuschlagen springst. Um auch wirklich einen kritischen Treffer zu landen, musst du dich beim Schlagen in dem kurzen Fall nach einem Sprung befinden, darfst also nicht in der Aufwärtsbewegung sein. Schwierig, aber tödlich!

INDIREKTE ATTACKEN

Wenn du in einem weitläufigen Gebiet oder in einem Team mit mehreren Spielern spielst, könntest du ein paar Fallen aufstellen, die dir den Rücken freihalten oder andere Spieler ködern. Mit dem Ausheben eines Grabens hinter einer Wand kannst du Spieler z. B. in eine Falle locken, in der du sie dann auf Distanz beschießt. Oder du bestückst Spender mit allerlei Geschossen, um enge Durchgänge zu schützen.

MUT ZUM RÜCKZUG

Es ist keine Schande, die Flucht zu ergreifen, wenn es mal brenzlig wird. Ein Rückzug kann den Unterschied zwischen Sieg und Niederlage bedeuten. Clevere Kämpfer nehmen sich die Zeit, sich zu verstecken, zu heilen und einen neuen Angriffsplan zu schmieden, bevor sie sich wieder in die Schlacht stürzen. Zu wissen, wann man fliehen muss, ist genauso wichtig wie Angriff und Verteidigung.

DIE ARENA

DER ARCHIPEL

In den vier Ecken der Arena liegen die Inseln des Archipels, die schwebenden Basen einer Sky-Wars-Schlacht.

GLADIATORENGRUBE

Die sandige Grube, in der Krieger in einer bewaffneten Schlacht um Leben und Tod kämpfen, ist umsäumt von Zuschauern.

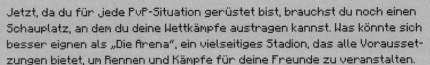

Jetzt, da du für jede PvP-Situation gerüstet bist, brauchst du noch einen Schauplatz, an dem du deine Wettkämpfe austragen kannst. Was könnte sich besser eignen als „Die Arena", ein vielseitiges Stadion, das alle Voraussetzungen bietet, um Rennen und Kämpfe für deine Freunde zu veranstalten.

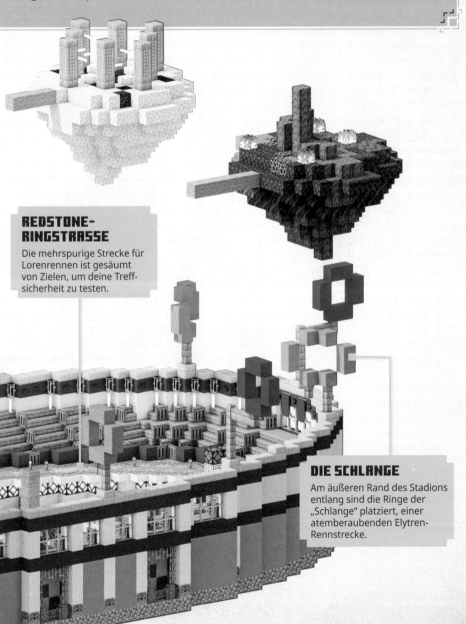

REDSTONE-RINGSTRASSE

Die mehrspurige Strecke für Lorenrennen ist gesäumt von Zielen, um deine Treffsicherheit zu testen.

DIE SCHLANGE

Am äußeren Rand des Stadions entlang sind die Ringe der „Schlange" platziert, einer atemberaubenden Elytren-Rennstrecke.

FUNDAMENT

Die Arena bietet in der Mitte eine großzügige offene Fläche für den Kampf und ist umgeben von einer ovalen Rennstrecke.

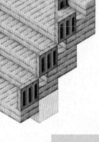

ZUSCHAUERRÄNGE

Die hölzernen Ränge sind aus Treppen gefertigt, wobei einige VIP-Sitzplätze mit Armlehnen aus Falltüren versehen sind.

EINGANG

Die hochgelegene Elytren-Startrampe überblickt die versteckten Eingänge, durch die Kämpfer die Arena betreten.

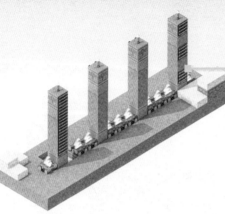

VERTIKALITÄT

Geschickte Kontrahenten klettern womöglich auf die Gefechtstürme, um den Höhenvorteil für sich zu nutzen. Aber irgendwie müssen sie auch wieder runter.

BEREITSCHAFTSRAUM

Der Bereitschaftsraum, eingebettet unter den Sitzrängen, ermöglicht den Spielern vor dem Betreten der Arena die Auswahl ihrer Ausrüstung.

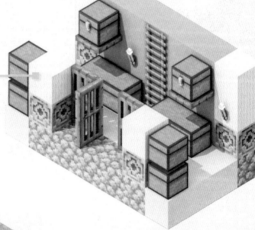

TORWALL

Diese Wände verhindern, dass Spieler mit einem Vorsprung loslegen, oder können Monsterüberraschungen bereithalten.

HINDERNISSE

Der Boden der Arena ist gespickt mit gefährlichen Hindernissen, denen du während der Kämpfe aus dem Weg gehen musst.

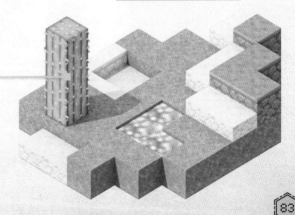

STRECKENFÜHRUNG

Die Redstone-Ringstraße folgt der Krümmung der Arena und besteht aus Schienen und Redstone-Fackeln.

DOPPELGLEISE

Die parallel verlaufenden Schienenstrecken sind unterschiedlich lang. Um dies auszugleichen und für faire Verhältnisse zu sorgen, hat die äußere Strecke mehr Antriebsschienen.

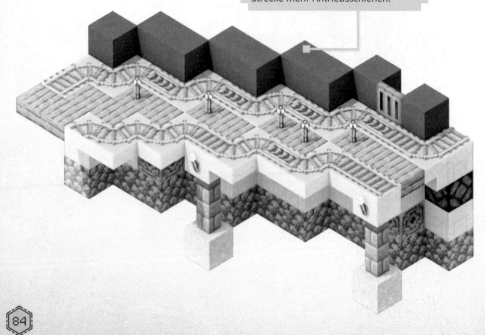

ES WERDE LICHT

Wird ein Zielblock getroffen, wird ein Signal zur Redstone-Fackel geschickt, um den Treffer anzuzeigen. Der Erste, der alle seine Ziele getroffen und alle Fackeln zum Leuchten gebracht hat, gewinnt.

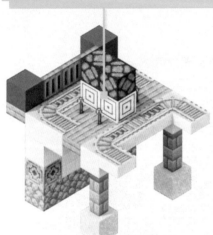

BEREIT ZUM ABHEBEN

Mit Elytren ausgerüstete Spieler starten ihr Rennen durch die „Schlange" von dieser erhöhten Plattform aus, um von der Schwerkraft unterstützt sofort durchzustarten.

RING FREI

Die Ringe rund um die Arena haben nur 2 × 2 Blöcke große Löcher, was es knifflig macht, sie mit hoher Geschwindigkeit zu durchfliegen. Dass sie außerdem auf unterschiedlichen Höhen angebracht sind, erleichtert die Sache nicht.

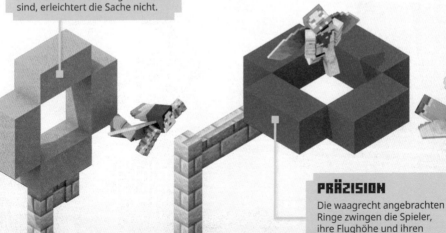

PRÄZISION

Die waagrecht angebrachten Ringe zwingen die Spieler, ihre Flughöhe und ihren Schwung für mehr Präzision beim Durchfliegen zu opfern.

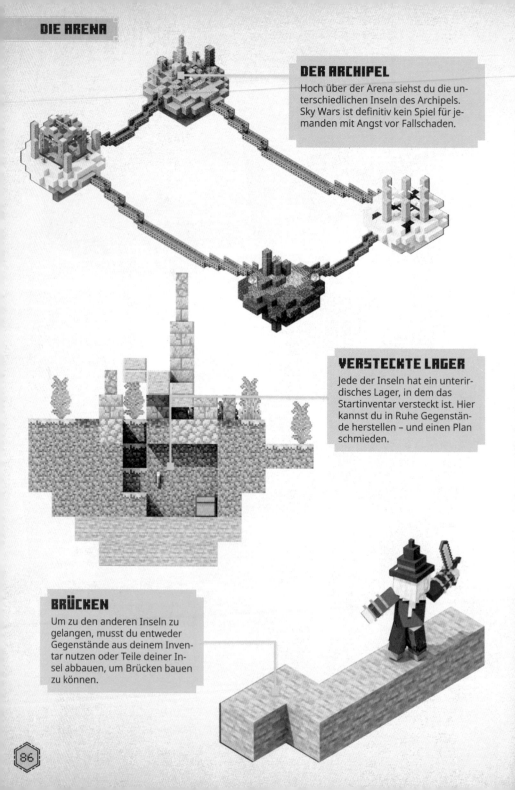

DER ARCHIPEL

Hoch über der Arena siehst du die unterschiedlichen Inseln des Archipels. Sky Wars ist definitiv kein Spiel für jemanden mit Angst vor Fallschaden.

VERSTECKTE LAGER

Jede der Inseln hat ein unterirdisches Lager, in dem das Startinventar versteckt ist. Hier kannst du in Ruhe Gegenstände herstellen – und einen Plan schmieden.

BRÜCKEN

Um zu den anderen Inseln zu gelangen, musst du entweder Gegenstände aus deinem Inventar nutzen oder Teile deiner Insel abbauen, um Brücken bauen zu können.

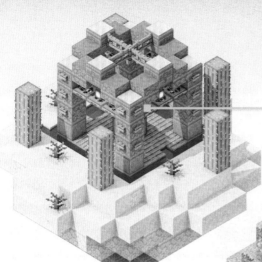

WÜSTENINSEL

Mit ihrem erstickenden Sand und den stacheligen Kakteen ist die Wüsteninsel eventuell der perfekte Ort, um eine Falle aufzustellen.

HIMMELSGARTEN

Auf diesem idyllischen Paradies gibt es viele leicht abzubauende Blöcke, die dir dabei helfen könnten, dir einen Weg zu anderen Inseln zu bahnen.

NETHERLAND

Auf dieser Insel gibt es Blöcke, die Spieler leicht verletzen können. Jeder, der dort unterwegs ist, muss also seine fünf Sinne beisammenhaben.

DER ENDPUNKT

Obwohl nützliche Blöcke hier eher rar gesät sind, gibt es doch zumindest eine Menge Obsidian, hinter dem du Schutz suchen kannst.

WÄHLE DEINEN KÄMPFER

EINE NEUE ART ZU SPIELEN

Wahrscheinlich hast du das Gefühl, dass du im Nachteil bist, wenn dir nur einige wenige Blöcke und Gegenstände zur Verfügung stehen, aber das soll so sein – und gilt für alle gleichermaßen. Wenn jeder auf bestimmte Waffen und Rüstungen beschränkt ist, schafft das faire Voraussetzungen und spornt euch dazu an, Strategien zu entwickeln, auf die ihr sonst nie gekommen wärt.

WIE ERHÄLT JEDER SEINE GEGENSTÄNDE?

Im Kreativmodus kannst du das ganz einfach vorbereiten – bevor du vor dem Kampf wieder umschaltest: Schnapp dir aus dem Kreativ-Inventar die Gegenstände, die eine bestimmte Charakterklasse erhalten soll, und lege sie in spezielle „Klassentruhen". Dann wählt jeder Spieler nach dem Zufallsprinzip eine der Truhen aus, um seine Charakterklasse festzulegen. Du kannst die Spieler-Outfits auch auf Rüstungsständern präsentieren.

TOP-TIPP

Experimentiere herum! Du bist nicht auf die Klassenvorschläge auf diesen Seiten beschränkt. Probiere verschiedene Ausrüstungssets durch, um deine eigenen Klassen zu erstellen. Achte nur darauf, dass der Kampf fair bleibt und alle Ausrüstungssets ausgewogen zusammengestellt sind.

Ertappst du dich dabei, dass du immer wieder die gleichen Taktiken anwendest? Bist du es leid, in jedem PvP-Kampf nur auf deine treue Axt zu vertrauen? Warum eignest du dir nicht ein paar neue Fähigkeiten an, indem du eine „Charakterklasse" spielst? Dabei wirst du durch vorbestimmte Ausrüstungssets zu völlig neuen und aufregenden Spielweisen angeregt!

ELEMENTOR

SCHNELLZUGRIFFS-LEISTE

Der Elementor macht sich im Kampf die Naturgewalten zunutze. Mit seinem verzauberten Dreizack kann er Blitze herbeirufen. Oder er kann frostige Schneegolems beschwören, die ihm im Kampf zur Seite stehen, und dank seiner Beherrschung von Schnee (und Schaufeln) kann er Fallen legen, die seine Gegner sicher auf dem falschen Fuß erwischen. Oh, und er kann auch unter Wasser atmen.

WALKÜRE

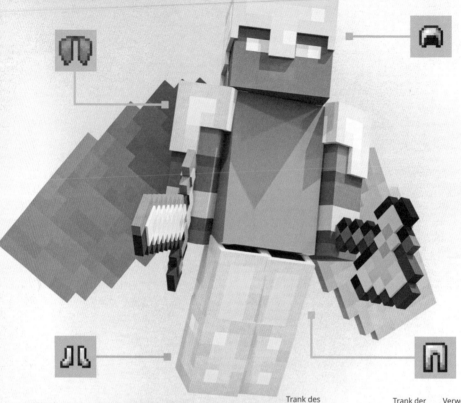

SCHNELLZUGRIFFSLEISTE

| | | | Trank des langsamen Falls | Trank der Stärke | Trank der Sprung-kraft | Verweilender Trank der Schwäche |

Es fliegt, es fliegt … ist es ein Vogel? Ist es ein Flugzeug? Nein, es ist eine kriegsgestählte Walküre, die im Sturzflug auf ihre Gegner herabstößt. Sie führt ein mit „Verbrennung" verzaubertes Schwert, das ihre Ziele in Brand steckt. Die Walküre kann sich eine Startrampe aus einem Kolben und einem Schleimblock bauen, um sich wieder in die Luft zu katapultieren und ihr nächstes Ziel zu suchen. Für die Abwechslung im Nahkampf hat sie auch eine Ersatzwaffe.

HIMMELSBOTE

Der Himmelsbote ist eine perfekte Unterstützungsklasse: Er steigt vom weiten Himmel herab, um schwächeren Kämpfern unter die Arme zu greifen. Seine getränkten Pfeile können Freunden auf dem Schlachtfeld aushelfen, und sein mit „Unendlichkeit" verzauberter Bogen sorgt dafür, dass ihm die Pfeile niemals ausgehen. Sein Totem der Unsterblichkeit gibt ihm eine zweite Chance, wenn der Kampf mal nicht so gut läuft.

SCHNELLZUGRIFFS-LEISTE

| Pfeil | Pfeil der Heilung | Pfeil der Regeneration | Pfeil der Sprungkraft | Pfeil der Stärke | | Trank der Regeneration | |

PYROMANT

SCHNELLZUGRIFFSLEISTE

Trank des
Feuerwider-
stands

Der Drachenkopf lässt diesen Krieger
echt furchterregend aussehen ... und
das zu Recht. Er hat reichlich explosive Überraschungen parat: Er kann
aus Spendern, Hebeln und Feuerkugeln Abschussvorrichtungen bauen
oder eine zerstörerische Falle aus
TNT und Druckplatten konstruieren.
Wenn du nah genug an ihn herankommst, um von seinem Netherit-
Schwert getroffen zu werden, kannst
du dich schon glücklich schätzen.

ALCHEMIST

SCHNELL-ZUGRIFFS-LEISTE

	Verweilender Trank der Vergiftung	Verweilender Trank der Schwäche	Geworfener Trank der Langsamkeit	Geworfener Trank des Verfalls	Trank des Schildkröten-meisters		

Offenbar lohnt es sich, mit Metallen, Verzauberungen und Tränken zu hantieren. Der Alchemist weiß das besser als jeder andere, schließlich hat er seinem Hexenwerk seine goldene Rüstung und seine goldene Axt zu verdanken, die ursprünglich aus schlichtem Stein waren. Auf dem Schlachtfeld agiert er eher im Hintergrund: Er schleudert allerlei Tränke auf Freund und Feind und lässt sein eigenwilliges Arsenal auf diese Weise Chaos säen.

AUF WIEDERSEHEN!

Wow, sieh einer an! Du bist ein erfahrener Kämpfer geworden – das Feuer lodert in deinen Augen. Wir hoffen, dass du fortan mit neuem Selbstvertrauen durch die Oberwelt schreitest und siegessicher jede Arena betrittst.

Was du auf den Seiten dieses Buchs gelernt hast, geht weit über einfaches Kämpfen hinaus. Vielleicht hast du dir neue Braumethoden zu eigen gemacht oder dich dem Verzaubern verschrieben, wodurch sich dir Wege zu neuen Abenteuern auftun? Wer weiß, womöglich hast du sogar neue Anerkennung für Ghasts gewonnen? Und ja, natürlich hast du jede Menge über den Kampf gelernt.

Wie bei jeder neu erlernten Fähigkeit musst du weiterüben, um dein Potenzial als Kämpfer vollständig auszuschöpfen. Aber vergiss nicht, dass du auf dem Weg dahin auch Niederlagen einstecken wirst. Wahrscheinlich sogar viele Niederlagen! Denk daran, dass kein Krieger sich seine Sporen verdient hat, ohne im Gegenzug auch mal im Staub zu liegen. Das Wichtigste ist, sich nicht unterkriegen zu lassen und am Ball zu bleiben!

Gut, genug herumgebummelt. Schnapp dir dein Schwert, leg deinen Brustpanzer an und ...

AUF IN DEN KAMPF!

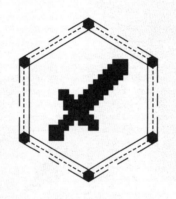